绿水青山

——建设美丽中国纪实

国家林业局 主编

中国林业出版社

图书在版编目（CIP）数据

绿水青山：建设美丽中国纪实 / 国家林业局主编
. -- 北京：中国林业出版社，2015.11
　ISBN 978-7-5038-8204-3

　Ⅰ . ①绿… Ⅱ . ①国… Ⅲ . ①林业－概况－中国
Ⅳ . ① F326.2

中国版本图书馆 CIP 数据核字 (2015) 第 257022 号

\--

图片提供单位（个人）：

国家林业局（湿地保护管理中心、防沙治沙办公室、野生动植物保护与
自然保护区管理司、信息化管理办公室、退耕还林工程管理办公室、森
林公园管理办公室）
农业部美丽乡村创建办公室
全景网
李　琳（北京清华同衡规划设计研究院）
倪益谨
温　晋

出版：中国林业出版社（100009 北京西城区德内大街刘海胡同 7 号）
网站：http://lycb.forestry.gov.cn
E-mail：cfphz@public.bta.net.cn
印刷：北京利丰雅高长城印刷有限公司
发行：中国林业出版社
电话：（010）8314 3572
版次：2015 年 11 月第 1 版
印次：2015 年 11 月第 1 次
开本：1/16
印张：16.5
字数：200 千字
定价：98.00 元

《绿水青山——建设美丽中国纪实》
编委会

山川相缪，郁乎苍苍。

渔舟唱晚，雁阵翩然。

在景象万千的大森林里，在波澜壮阔的大海边，在奔腾不息的江河旁，有一个美丽的绿水青山梦正在扎根生长。

高山峻岭，百鸟争鸣。江河湖海，鱼虾逐浪。

草原田野，牛羊成群。万顷良田，麦浪如画。

这是人与自然最亲近的景象。

带着黑土地的芬芳，兴安岭的落叶松高声唱着林海雪原的赞歌，大粮仓正以丰收的澄黄演绎着粮丰、民安、国强的故事；带着黄土高坡的厚重，山丹丹花开红艳艳，信天游里回荡着兴林富民的最强音；带着雪域高原的圣洁，转经筒从神山转到圣湖，格桑花映衬着一张张幸福的红脸蛋；带着中原大地的丰泽，远山红叶多妩媚，近水绿柳自清新；带着江南水乡的优雅，一桥一舟，一草一木，诗情挥不尽，微澜多遐思；带着湿润南国的清澈，绿是一年四季不变的主色调，椰风海浪送你蔚蓝色的辽阔，万顷浪花已醉春风。

让山川林木葱郁，让大地遍染绿色，让天空湛蓝清新，让河湖鱼翔浅底，让草原牧歌欢唱……

这是建设美丽中国的蓝图，也是实现永续发展的根本要求。

党的十八大以来，以习近平同志为总书记的党中央高瞻远瞩，着力创新发展理念，大力推进生态文明建设，引领中华民族在伟大复兴的征途上奋勇前行。

寻梦，生态文明的中国探索。

这是对人类文明发展规律的深刻总结——生态兴则文明兴，生态衰则文明衰。生态环境保护是功在当代、利在千秋的事业。顺应世界大势，实现永续发展。以习近平同志为总书记的党中央，正引领中国人民奋力抒写生态文明新篇章。

追梦，生态转型的绿色增长，生态建设的中国行动。

这是引领中国长远发展的执政理念和战略谋划——既要绿水青山，也要金山银山；宁要绿水青山，不要金山银山；而且绿水青山就是金山银山。绝不能以牺牲生态环境为代价换取经济的一时发展。这是发展理念和方式的深刻转变，也是执政理念和方式的深刻变革，引领着中国发展迈向新境界。

圆梦，绿水青山美好家园，祖国振兴永续发展。

这是深厚的民生情怀和强烈的责任担当——良好生态环境是最公平的公共产品，是最普惠的民生福祉，要给子孙留下天蓝、地绿、水净的美好家园。

云霞生异彩，山水有清音。筑我中国梦，风好正扬帆。

我们汇聚建设生态文明、建设美丽中国的力量，遵循着自然的规律。

美好愿景正在徐徐展开。

在时代滚滚奔涌的潮流中，我们追风踏浪、勇往直前；在实现中华民族伟大复兴的奋斗中，我们正在为建设绿水青山永续发展的美好家园忘我奋斗。

编者

2015 年 6 月

目 录

第一章

寻梦：绿水青山梦

　　为什么我的眼里常含泪水？因为我对这土地爱得深沉……

　　我们深爱这片土地，她把爱给了我们，哺育我们，给予我们生命……

　　我们深爱这片土地，我们每个人都有一个绿水青山梦：

　　让山川林木葱郁，让大地遍染绿色，让天空湛蓝清新，让河湖鱼翔浅底，让草原牧歌欢唱……

　　为了这个梦，党的十八大以来，以习近平同志为总书记的党中央，高瞻远瞩，战略谋划，着力创新发展理念，大力建设生态文明，引领中华民族在伟大复兴的征途上奋勇前行。

　　为了这个梦，我们一起听这段波澜壮阔而又扣人心弦的历史，一起分享那份最纯真的感动……

　　建设美丽中国，是13亿中国人的愿景；守护绿水青山，是13亿中国人的梦想。党的十八届三中全会通过的《中共中央关于全面深化改革若干重大问题的决定》中，首次系统阐释生态文明制度体系，提出科学治理大气、水体、土壤污染等环境问题……碧水蓝天的美丽中国梦变得越来越清晰和实际。

　　绿色孕育生命，山水就是生机。在绿水青山梦的背后，加强生态文明建设，打造美丽中国的生态观，汲取了"天人合一""道法自然""休养生息"等传统思想智慧，要求我们在发展中守护好绿水青山，建设好绿水青山；失去绿水青山的发展，不是生态文明。而自古以来，绿水青山的生态就是自然给予的最好馈赠。

塞罕坝的自然风光

第一节 绿水青山，大自然的馈赠

（一）水孕育生命

人体生活所需七大元素是膳食纤维、蛋白质、脂肪、碳水化合物、矿物质、维生素和水。水是生命的源泉。45 亿年前的地球，70% 的表面被海水所覆盖。而在 35 亿年前，诞生在水中的单细胞生命，正是现在地球上所有动、植物的共同祖先。它们经历了从水域到陆地的变迁，完成了自然的演变。

水是人类生产、生活的必需。水带来了生命的元素、交通的便利。水是人类的血脉，孕育出进步的文明。

在我国，早在旧石器时代，黄河、长江流域就有人类活动的足迹。据先秦古籍《山海经》记载，春秋战国时期的黄河流域有 48 条河流，其所到之处，千里沃野，枝繁叶茂，为农业发展提供良好条件。黄河、长江流域孕育了中华大地，形成了闪耀千古的华夏文明。

古往今来，水无处不在，它穿越了千年的岁月，流淌在我们的生活中，浸染在我们的生命里。中国文化历来"崇水"，孔子曰："仁者乐山，智者乐水。"水至柔的灵性，在老子看来就是："天下莫柔弱于水，而攻坚强者莫之能胜。"文学作品中，那些翩翩的少年，立岸唱道"所谓伊人，在水一方"；那些充满智慧的哲人，临河而观"逝者如斯夫，不舍昼夜"；那些送别朋友的才子，遥望着远去的故人，直道"孤帆远影碧空尽，唯见长江天际流"；那些踌躇满志的诗人，驻岸而思，吟道"大江东去，浪淘尽，千古风流人物"。

水的力量，在河湖里涌动，在湿地中流淌。

1. 黄河：中华民族的母亲河

它是中华民族的母亲河，用汹涌澎湃的黄色血液浇灌出灿烂的华夏文明。它所形成的冲积平原，给予世世代代的人民生息繁衍的家园。它波澜壮阔、浩浩汤汤，有人说它的水自天上而来，奔流到海不复还；也有人说它涌动时如白马啸西风，万里触山而动，盘涡毂转秦地雷。

它就是黄河。黄河发源于青海省青藏高原的巴颜喀拉山脉北麓约古宗列盆地的玛曲，自西向东分别流经青海、四川、甘肃、宁夏、内蒙古、陕西、山西、河南及山东9个省（自治区），最后流入渤海。全长约5464千米，流域面积约75.2万平方千米。它是世界第五大长河，中国第二长河。

黄河是中华民族的母亲河，缔造出灿烂的华夏文明。

黄河流域气候温和，水文条件优越，因此，中国境内的原始先民选择在这里繁衍。我国第一个王朝——夏，就在黄河流域立国建都。之后的商、周及西汉、东汉、隋、唐、北宋等几个强大的统一王朝，其核心地区均在黄河中下游一带。我国的七大古都中，安阳、西安、洛阳、开封，均地处黄河流域或黄河两岸。西安自西周、秦汉至隋唐，先后有11个朝代在此建都，历时长达千年。

我国古代文明的科学技术、发明创造也同样产生在这里。我国古代的"四大发明"——造纸术、活字印刷术、指南针、火药都产生在黄河流域。反映中华民族智慧的许多古代经典文化著作，也诞生于这一地区。无论是庄子、司马迁、柳宗元的散文，还是李白、杜甫、白居易的诗，或是苏东坡、辛弃疾的词，关汉卿的杂剧，曹雪芹的小说，无不流芳千古，各领风骚。

所以说，黄河孕育了中华文明，黄河哺育了中华儿女。

黄河

2. 长江：中国最大的外流河，华夏文明的孕育地

它是我国第一长河，亚洲第一大河，世界第三大河。它从雪山走来，向东奔向东海。它横贯华夏南国大地，汇成众多湖泊和支流。奔涌时，它惊涛拍岸，无穷无尽，两岸青山绵延起伏，气势如虹；静谧时，它缓缓东流，滚滚向前，巍巍青山两岸走，清波浩荡。

它就是长江。长江发源于青藏高原唐古拉山主峰格拉丹东雪山，自西向东注入东海，流经青海、西藏、四川、云南、重庆、湖北、湖南、江西、安徽、江苏、上海11个省（自治区、直辖市）。长江流域面积达180万平方千米，约占中国陆地总面积的1/5，横贯东西之长，动、植物资源之丰富，对我国工业、农业生产意义重大，同时也在人们的生活用水和发展航运、旅游业等方面发挥了重要作用，是我国现代重要的经济纽带。

早在旧石器时代，长江流域就是早期人类生存和演化的重要地区之一。后在秦、汉、唐、宋、明、清的朝代更替过程中，长江流域逐渐确立了全国的经济重心和文化重心的地位，更是形成了巴蜀文化、荆湘文化、吴越文化等著名文化地区。巴蜀以文章冠绝天下，长江中游的荆湘号为南楚富，包括今湖北、湖南、江西三省，乃人杰地灵之地，而长江三角洲狭义的"江南"即今天的江浙地区已成为长江文明发展的先锋和重镇。长江，作为孕育这一切的母亲河，自古被华夏儿女所称颂，融情于此"大江东去，浪淘尽，千古风流人物，故垒西边""无边落木萧萧下，不尽长江滚滚来""山随平野尽，江入大江流"，人们或借此抒发豪情，或感慨悲歌，或写意抒怀，长江所带来的意境、感情、哲思至今不断。

长江

3. 塔里木河：中国最大的内流河，沙漠中滋养万物的生命之泉

它是中国最大的内流河，它远离海洋，位于极端干旱的内陆腹地；它奔腾的河水造就了沙漠绿洲；它曾是西域文明的创造者，滋养着河畔世代生活的人民，是自然生态和人民生活的生命线，被誉为"生命之河"。

它就是塔里木河。塔里木河位于新疆维吾尔自治区南部，地处天山和昆仑山之间。塔里木河由天山的阿克苏河、喀喇昆仑山的叶尔羌河以及和田河汇流而成，四面高山环绕，河道曲折，加上两岸浓密的胡杨林，形成一条天然的绿色长廊。塔里木河属大陆性暖温带、极端干旱沙漠性气候，昼夜温差大，降水稀少，蒸发强烈。

尽管气候恶劣，塔里木河把许多孤立的绿洲与河流收编，形成了一个流动的生存环境，使得塔里木河流域能在河水的润泽下依旧焕发出勃勃生机，为荒漠中平添一抹绿色。塔里木河流域广泛分布着胡杨、灰杨、沙枣等。在塔里木河流域山区，许多珍稀野生动物如盘羊、马鹿、雪豹、猞猁、棕熊等在此生息繁衍，而精彩纷呈的西域文化也离不开塔里木河的培育。

塔里木河见证着数十个辉煌的绿洲古国的兴衰，没有塔里木河就没有享誉世界的"丝绸之路"，在海上丝绸之路开通之前，这条横贯欧亚大陆的丝绸之路，带领中国走向世界，也让世界走进中国。塔里木河，就是这条路的命脉。没有塔里木河，就没有西域文明，就没有塔里木河流域三大文化中心——于阗文化中心、龟兹文化中心、楼兰及罗布泊文化中心的欣欣向荣、显赫一时；没有塔里木河，塔里木盆地50多个绿洲王国也就难以生存；没有塔里木河，中西文化的碰撞交汇可能会推迟半个世纪，古老神秘的东方文明也不会被人们所熟知，丝绸、瓷器等艺术珍品以及灿烂的华夏文化只能留存在这片封闭的土地上。

塔里木河对中华民族有着重要的意义，历史是一条河，一条河也就是一部历史。历史的车轮不停地向前走过，正如奔腾的河流，川流不息。

塔里木河

4.青海湖：中国最大的咸水湖和内陆湖，中国八大鸟类保护区之首

它既是中国最大的内陆湖泊，也是中国最大的咸水湖。它被四周的巍巍高山所环抱，而湖畔则是广袤平坦的草原，登高远眺，苍翠的高山，碧澄的湖水，沃野千里的草原，共同组成了一幅山、湖、草原交相辉映的美丽画卷。

它就是青海湖。青海湖位于青海省东北部的青海湖盆地内，地处青海高原的东北部，由祁连山的大通山、日月山与青海南山之间的断层陷落形成。青海湖面积达 4583 平方千米，环湖周长 360 多千米，是中国最大的内陆湖，湖面海拔为 3260 米，比两个泰山还要高。青海湖湖滨是茫茫草原，碧波万顷的青海湖坐于其中，微风吹来，草原绿茵如毯，与湖泊相融，水天一色，好似明镜相嵌，在阳光下熠熠闪亮，充满了诗情画意，令人心旷神怡。

青海湖岸边有辽阔的天然牧场，有肥沃的良田以及丰富的矿产资源，早在古代，这里就是马、牛、羊等牲畜的重要产地。除此之外，湖区动物资源也很丰富，青海湖沿岸地势平坦，气候温和，鱼类繁多，环境幽静，造就了一个国内外闻名的鸟类自然保护区，为中国八大鸟类自然保护区之首，大概有 16 万只以上的鸟儿在此构筑自己的家园。其中，大部分为候鸟，随着它们的到来，青海湖鸟岛逐渐成为著名的旅游胜地，每年吸引了大批的中外游客来此一睹万鸟齐聚的盛况。为了保护这个鸟类的世外桃源，青海省于 1975 年在鸟岛南部的布哈河正式成立鸟岛管理站，1980 年又将鸟岛划为自然保护区，现建为鸟岛国家级自然保护区。并列入联合国《国际重要湿地手册》，同时加入《水禽栖息地国际重要湿地公约》。

青海湖

5. 鄱阳湖：中国第一大淡水湖，多种世界珍稀濒危物种的聚集地

它是中国第一大淡水湖，也是中国第二大湖泊。它是世界上最大的白鹤越冬地，聚集了世界上98%的湿地候鸟种群。它是长江水系的宝葫芦，对长江流域生态安全作用重大。

它就是鄱阳湖。鄱阳湖位于江西省北部、长江南岸。鄱阳湖以松门山为界，分为南北两部分，北面为入江水道，长40千米，宽3~5千米，南面为主湖体，长133千米，最宽处达74千米。鄱阳湖烟波浩淼，气势磅礴，丰水期奔腾浪涌，浩瀚千里；枯水期芳草萋萋，芦苇荡荡。湖畔峰岭绵延起伏，沃野千里，候鸟翩飞。

自古以来，鄱阳湖与人的生活息息相关。鄱阳湖在古代有彭蠡湖、彭蠡泽、彭泽湖、彭湖、扬澜湖、宫亭湖等多种称谓。唐代诗人王勃在《滕王阁序》中的名句"渔舟唱晚，响穷彭蠡之滨"描述的正是鄱阳湖上渔民捕鱼归来的情景。在今天，鄱阳湖是我国十大生态功能保护区之一，也是国际重要湿地。如果说长江是我们的母亲河，那么鄱阳湖则是高悬于其上的宝葫芦，维系着区域生态平衡和稳定，在调蓄洪水和保护生物多样性等生态功能方面，发挥着重要作用。

鄱阳湖聚集了许多世界珍稀濒危物种，是大量珍稀候鸟的重要迁徙通道和停歇地，世界上98%的湿地候鸟种群皆汇于此，每年秋末冬初，有成千上万只候鸟栖息于此，其中白鹤等珍禽50多种，因此鄱阳湖又被称为"白鹤世界""珍禽王国"。白鹤为我国一级保护动物，在鄱阳湖越冬的白鹤数量达我国野生数量的98%以上，白枕鹤为我国二级保护动物，我国野生白枕鹤约有5000只左右，其中60%在鄱阳湖越冬。除此之外，鄱阳湖还是世界上最大的鸿雁种群越冬地以及中国最大的小天鹅种群越冬地。

鄱阳湖

（二）山承载万物

中国是一个多山的国家，主要山脉有阿尔泰山脉、天山山脉、昆仑山脉、喀喇昆仑山脉、唐古拉山脉、念青唐古拉山脉、祁连山脉、冈底斯山脉、喜马拉雅山脉、横断山脉、阴山山脉、太行山脉、秦岭山脉、大兴安岭山脉、长白山脉、台湾山脉等。平均海拔6000米的喜马拉雅山脉是世界最高大雄伟的山脉，它的主峰珠穆朗玛峰海拔8844.43米，是世界最高峰。此外，东岳泰山、西岳华山、南岳衡山、北岳恒山和中岳嵩山被称为五岳名山，还有黄山、庐山、峨眉山、武当山、雁荡山、淅川霄山、普陀山等名山。

如果说水是生命的源泉，那么山则与生命的厚重息息相关。古代著作《周易》谦卦中如此解释山，山虽高大，但处于地下，高大显示不出来，以此喻人德行很高，但能自觉地不显扬。古语有云"壁立千仞，无欲则刚""泰山不拒细壤，故能成其高"，山被视为崇高的象征，承载着中华民族的灵魂，它是归隐者宁静的天堂，是心灵的栖息地，无论是居庙堂之高，还是处江湖之远，心念之地必有山。

于是，拜谒齐天高峰，问道天下名岳，体现了中华民族对山的向往。诗人旖旎了山的葱郁，李白与山相伴，一句"五岳寻仙不辞远，一生好入名山游"道尽心中山情；画家泼墨了山的秀丽，范宽与山同游，其画作《溪山行旅图》举世闻名；哲人沉淀了山的气节，孔子有云"仁者乐山"，仁者之乐，如山般宁静、伟大；政客积累了山的精神，毛泽东诗云"独立寒秋，湘江北去，看万山红遍，层林尽染，百舸争流"，其壮志豪情可见一斑。

1. 泰山：世界自然和文化双遗产，山泉密布，树木葱郁，水资源丰富

这是一座神秘的山，它葱郁、灵秀而不失庄严；这是一座静谧的山，它虚幻、深邃而不失明晰；这是一座神奇的山，它素有"山安则四海皆安"的赞誉，又有"五岳独尊"的至高荣誉。

它以旭日东升、云海玉盘、晚霞夕照、黄河金带为代表的十大奇观和石坞松涛、对松绝奇、桃园精舍、灵岩胜景为代表的十大自然景观引得无数旅人流连忘返。

这座山就是泰山。泰山位于山东省泰安市中部，古称岱山、岱宗。泰山多松柏，多溪泉，景色迷人，风景秀丽。处泰山之中，所见之美景，宛若一幅天然的山水画卷。

泰山植物生长繁茂，植被丰富，水源充足，森林覆盖率 80% 以上，其中现有种子植物 144 科 989 种，其中木本植物 72 科 433 种，草本植物 72 科 556 种，药用植物 111 科 462 种。泰山以其古树名木而闻名，是不可再生的宝贵财富。泰山共有古树名木万余株，它们与泰山历史文化发展相关，其悠久的历史文化赋予自然风貌以独特的内涵与艺术品味以及审美价值，如"五大夫松"，相传秦始皇登封泰山曾于此避雨，因大树护驾有功，后受封其为"五大夫松"。除了植物资源之外，泰山还有丰富的动物资源，泰山列入山东省重点保护的野生动物共有 24 种，鸟类 13 种。

泰山自古以来都是有名的文化胜地，是文人雅士出游的必登之山，也是历朝历代帝王封禅和祭祀的圣山。中国人崇拜泰山，尊敬泰山，泰山之高，俯瞰天地之万物，洞悉世间百态，泰山之雄，孔子登泰山而小天下。杜甫曾有诗形容泰山："岱宗夫如何，齐鲁青未了。造化钟神秀，阴阳割昏晓。荡胸生层云，决眦入归鸟。会当凌绝顶，一览众山小。"历朝历代在泰山封禅和祭祀，古代的文人雅士对泰山仰慕至极，为泰山留下了丰富的人文宝库。泰山古建筑、庙宇、石碑等众多，代表建筑有岱宗坊、红门宫、山腰王母（池）殿、普照寺、斗母宫、中天门、岱顶南天门、天街坊、碧霞祠、玉皇（顶）庙、泰山西北灵岩寺、无极庙等。

泰山

2. 黄山：黄山生态系统稳定平衡，植物垂直分带明显，群落完整，森林覆盖率为 56%，植被覆盖率达 83%

这是一座神奇的山，千百年来，岁月在它身上雕琢出大自然的奇迹。它山体奇特，巧夺天工，以"震荡国中第一奇山"而闻名。这是一座神秘的山，有轩辕峰、炼丹峰、容成峰、浮丘峰、丹井、洗药溪、晒药台等多个景点，传说黄帝在此炼丹，飘然成仙。

它就是黄山。黄山原名黟山，位于安徽省南部。黄山山体伟特，玲珑巧石，万姿千态。这座奇妙的山，既拥有"奇松、怪石、云海和温泉"四大绝景，又飞湍着"人字瀑""百丈泉"和"九龙瀑"三大瀑布，形成了独特的峰体结构。徐霞客登临黄山时，曾惊异于黄山的秀丽，不禁叹道："薄海内外之名山，无如徽之黄山。"历代游客也曾发出"五岳归来不看山，黄山归来不看岳""任他五岳归来客，一见天都也叫奇"的感叹。

黄山动物种类达 300 多种，其中属于国家保护的珍贵鸟兽有 20 多种。黄山野生植物达 1452 种，首次在黄山发现或以黄山命名的植物有 28 种，以名茶"黄山毛峰"、名药"黄山灵芝"为代表。

黄山不仅是一座美丽的山，还是一座丰富的艺术宝库。自古以来，人们在此游览，留下了丰厚的文化遗产。黄山现有楼台、亭阁、桥梁等古代建筑 100 多处，现存历代摩崖石刻近 300 处。还有历代文人雅士留下的浩如烟海的文学作品，流传至今的就有 2 万多篇（首）。其中，徐霞客的《游黄山日记》，袁牧的《游黄山记》等都展现了黄山的秀美景致。唐代诗人李白曾留下诗句："黄山四千仞，三十二莲峰。丹崖夹石柱，菡萏金芙蓉。"美丽的黄山孕育出了"黄山画派"，大师们从黄山山水中汲取营养，形成了凝重简练、秀丽明快的画风，其画作被人称奇，流传至今。

黄山

3.峨眉山：神奇的灵山秀水，神秘的旷世奇观，神圣的朝拜中心

千年以来，它以慈悲的胸怀守候着天府之国。它以宽厚的胸襟承载着尘世间的喜怒哀乐。它以佛教名山享誉世界，古往今来，佛事频繁，香火不断。它素有"秀甲天下"之美誉，既有陡峭险峻、横空出世的雄伟气势，亦不乏秀丽的外表，远远望去，只见它峰峦缥缈，宛若画眉，如临仙境。

它就是峨眉山。峨眉山位于四川省峨眉山市境内，峨眉山层峦叠嶂、山势雄伟，景色秀丽，并以多雾著称，山体常年云雾缭绕，淫雨霏霏，忽然之间，变化万千，有"一山有四季，十里不同天"的妙喻。清代诗人谭钟岳将峨眉山佳景概括为"金顶祥光""象池月夜""九老仙府""洪椿晓雨""白水秋风""双桥清音""大坪霁雪""灵岩叠翠""罗峰晴云""圣积晚钟"，峨眉之景，各有其美，美不胜收。

峨眉山气候多样，植被丰富，共有3000多种植物，山中多猴群，常向路人讨食，为峨眉山一大特色。

峨眉山早在春秋战国时期就闻名于世，迄今已有2000年的历史。著名学者华轩居士曾感叹道："天下秀色尽于此，履止其间岂思还"；唐代诗人李白也曾发出"峨眉高出西极天""蜀国多仙山，峨眉邈难匹"之赞叹。峨眉山还是四大宗教名山之一，相传佛教于公元1世纪传入峨眉山，佛家在此建立寺庙，以作普贤菩萨之道场，崇奉普贤大士，至今香火不断。

峨眉山

4. 武夷山：三教名山，羽流禅家栖息之地、儒家学者倡道讲学的殿堂

它有典型的丹霞地貌，单面山、块状山、柱状山临水而立，幻化出秀水、奇峰、幽谷、曲流、险壑、洞穴、怪石等千姿百态，独树一帜的自然地貌，正可谓"三三秀水清如玉，六六奇峰翠插天"。它有悠久的历史和深刻的文化底蕴，曾有无数文人雅士、文臣武将在山中游览，或隐居于此、或著书立传、或传道解惑。

它就是武夷山。武夷山地处福建省的西北部武夷山市，位于福建与江西的交界处。素有"碧水丹山""奇秀甲东南"之美誉，武夷山西部分布着世界同纬度带现存最完整、最典型、面积最大的中亚热带原生性森林生态系统，是全球生物多样性保护的关键地区；东部、中部是联系东西部并涵养九曲溪水源，保持良好生态环境的重要区域。

武夷山

武夷山具有丰富的动植物资源，有植物物种2527种，野生动物近5000种。

武夷山的美不仅在于自然景观，还在于其文化。历代文士们的驻足在武夷山留下了文化轨迹，有高悬于悬崖千年不朽的架壑船棺，有鸿儒大雅的书院遗址，有堪称中国古书法瑰宝的历代摩崖石刻（其中不乏古代官府和乡民保护武夷山水和动植物的禁令），有僧道的宫观寺庙。山水陶冶了人们的性情，启迪了人们的智慧，先民和后世的智慧传播了武夷山的文化，共同创造了武夷山的今天。

5. 神农架：世界生物保护区，世界中纬度地区唯一保存完好的生态宝地

它是一片神秘的土地，北望陕南、西揽川渝、南靠湘西，雄起于秦巴与武陵大山。相传华夏始祖之一神农氏在此地架木为梯，采尝百草，救民疾夭，教民稼穑。它是世界生物保护区，古老漫长的地理变迁和相对封闭的自然环境，孕育了它丰富而独特的自然及人文资源与禀赋。

它就是神农架。神农架位于湖北省西部，是世界中纬度地区唯一保存完好的一块生态宝地，是国家重要的生态主体功能区和生态敏感区，是全国唯一以林区命名的地方行政区，现辖4个县级单位和8个乡镇。这里千峰攒簇、云遮雾障，3253平方千米的原始森林里，生长着众多珍贵、稀有以及濒危的植物，深藏着举世称奇的飞禽走兽，天成的自然生态世人瞩目，堪称世界生物保护区。

神农架现有各类植物3700多种，高等植物199科、872属、2671种，占全省植物总数的47.5%，占全国植物总数的11.3%。神农架有受国家重点保护的珍稀植物26种，如有"中华鸽子树"之称的珙桐，被誉为"活化石"的香果、连香、领春木、大果青杆等古老孑遗树种，鹅掌楸、红豆杉、秦岭冷杉、青檀等名贵树种；受国家重点保护的珍稀动物73种，如我国特有的金丝猴，白化动物中的白熊，"活化石"大鲵等。此外，还有保存完好的原始森林、广袤的箭竹林、成簇的高山杜鹃、壮观的野生蜡梅林等。

巍峨的绵延群山、苍茫的原始森林、洪荒的莽原竹海、诡秘的幽谷石林、神秘的溶洞暗河、奇幻的云霞佛光，共同构建了神农架神秘的自然景观。金丝猴、金钱豹、苏门羚栖息林间，金雕、金丝燕、太阳鸟翱翔蓝天，大鲵、水獭、林蛙悠然溪畔，神农架以其雄奇壮美的自然环境与原始古朴的村落相映衬，唱响了一曲人与自然和谐相处的交响曲，共同构成了我国内地独特的高山原始生态文化圈，文化底蕴醇美深厚。

神农架

（三）广袤的沙漠

沙漠地域大多是沙滩或沙丘，植物稀少、降水稀少，属空气干燥的荒芜地区。

中国沙漠（包括戈壁及半干旱地区的沙地）总面积达173.97万平方千米，约占全国土地总面积的18.12%，集中分布在西北、北方9个省区。其中比较大的沙漠有12处。它们分别是塔克拉玛干沙漠、古尔班通古特沙漠、巴丹吉林沙漠、腾格里沙漠、柴达木沙漠、库姆塔格沙漠、库布齐沙漠、乌兰布和沙漠、毛乌素沙漠、科尔沁沙地、浑善达克沙地以及呼伦贝尔沙地。荒凉、凄美的沙漠一直受到边塞诗人的青睐，"大漠孤烟直，长河落日圆""大漠穷秋塞草腓，孤城落日斗兵稀"这些流芳百世的名句，为我们勾画出一幅幅壮美的大漠图景。

而今天，随着科技的发展，沙漠逐渐被人们所重视。沙漠蕴藏着丰富的矿物质资源和动植物资源，被人们誉为"沙漠宝藏"。沙海掩埋了的千年城池也成为考古爱好者的研究胜地。在沙漠的探寻过程中，人们逐渐发现了保护环境，防止土地沙漠化的重要性，人们致力于改造沙漠，打造沙漠里的"世外桃源"，为沙漠披上了碧绿的盛装，焕发无限生机。

1. 塔克拉玛干沙漠：世界最神秘的沙漠

它是中国最大的沙漠，也是世界第二大沙漠。它与丝绸之路密不可分，至今仍被考古研究者奉为宝地。

它就是塔克拉玛干沙漠。塔克拉玛干沙漠位于新疆的塔里木盆地中央，是世界最大的流动沙漠。塔克拉玛干沙漠是典型大陆性气候，风沙强烈，温度变化大，全年降水少，流动沙丘的面积很大，类型复杂多样，或呈蜂窝状、或呈羽毛状、或呈鱼鳞状，宛若盘旋在大地上的巨龙，变幻莫测。白天，在烈日的照耀下，沙漠中的银沙格外刺眼，剧烈的蒸发使地表景物飘忽不定，形成了著名的"海市蜃楼"。

塔克拉玛干沙漠四周沿叶尔羌河、塔里木河、和田河和车尔臣河两岸，生长着密集的胡杨林和怪柳灌木以及芦苇等多种沙生植物，形成一条特殊的"绿色走廊"，在这条"走廊"中，流水潺潺、绿洲茵茵，林中不乏野兔、小鸟等野生动物，为"死亡之海"增添了生机。

塔克拉玛干沙漠有着悠久的文化历史，古丝绸之路曾途经塔克拉玛干的整个南端。闻名世界的"丝绸之路"所必经的楼兰城就坐落于此，虽已成一片废墟，但拂去历史的尘埃，依稀可以窥见当初的繁荣和昌盛。至今，在和田河畔的红白山上，依然耸立着唐朝修建的古堡，雄姿犹存，静静地遥望着远方，回忆着它曾经的辉煌和繁荣。位于塔克拉玛干东部边缘的敦煌更是以其瑰丽灿烂的壁画和古物而被称为东方文化宝库，吸引了成千上万的中外游客来此观光考察。

塔克拉玛干沙漠（倪益谨 摄）

2. 巴丹吉林沙漠：沙山、鸣沙、湖泊交织的迷人景观

它是我国第三大沙漠，沙山相对高度可达 500 多米，其中必鲁图峰海拔1617 米，垂直高度约 435 米，是中国乃至世界最高沙丘所在地，被称作"沙漠珠穆朗玛峰"。

它就是巴丹吉林沙漠。巴丹吉林沙漠位于我国内蒙古自治区阿拉善盟阿拉善右旗北部，它以奇峰、鸣沙、湖泊、神泉、寺庙闻名世界。巴丹吉林沙漠造型奇特，沙坡高陡，沙壑、沙峭、沙峰随处可见，峰峦险峻，高低错落，蔚为壮观。沙漠湖泊众多，达 113 处，各湖不同，处处美景，四周沙山造型奇特，坡度极大，爬上坡顶顺坡下行，可滑入湖水之中，并听到沙山发出的如同飞机轰鸣般的声响，响彻数千米，这是巴丹吉林沙漠一大壮景，沙漠也因此而享有"世界鸣沙王国"之美称。

巴丹吉林沙漠动植物资源丰富，沙丘和沙山上长有稀疏植物，西部以沙拐枣、籽蒿、麻黄为主；东部主要为籽蒿和沙竹，沙拐枣、麻黄等逐渐减少。湖岸芦苇丛生、红柳茂盛，湖中清泉涌现，养育着鲤鱼、草鱼、白鲢鱼、鲫鱼、武昌鱼等多种鱼类，甚至还引来野鸡、天鹅等十余种鸟禽围观嬉戏。众多的湖泊，形成鱼鸟水中嬉戏，一派生机勃勃之奇景，享有"漠北江南"之美誉。

巴丹吉林沙漠早在远古时期就有人类活动，曾有考古队在沙漠中发现了大量的来自新石器时代和青铜时代的文物，制作精美、做工优良，还发现了许多属于西夏、元代时期的瓷片。而沙漠东部和西南边沿，也出土了一些记录古代狩猎和畜牧生活的岩画，这些岩画栩栩如生，被称为"美术世界的活化石"。

巴丹吉林沙漠

3. 古尔班通古特沙漠：观赏自然生态与人工生态的理想之地

它是中国境内第二大的沙漠。它一边拥有万籁俱寂、沙丘绵延的死亡之海，一边则建成了中国唯一以保护荒漠植被而建立的自然保护区，绿洲万顷，生机盎然。它同时存在生命与死亡，交织着黄沙与绿浪，集自然生态与人工生态于一体，是伟大的"荒漠丛林"。

它就是古尔班通古特沙漠，沙漠位于准噶尔盆地的中央，占地面积4.5万平方千米，仅次于塔克拉玛干沙漠。它有着寸草不生、一望无际的沙海，却依然矗立着梭梭与红柳。沙漠中可见千变万化的海市蜃楼和千奇百怪的风蚀地貌造型，惊险间或狂风大作、飞沙走石，或昏天黑地、伸手不见五指，却依然不乏苍鹰盘旋、风和日丽的静谧与唯美。昼夜温差，让此地白日高温可煮蛋，夜晚极寒能积冰。

古尔班通古特沙漠的绿洲与沙漠相错，形成了独特的自然人文景观。沙漠广泛分布着白梭梭、梭梭、苦艾蒿、白蒿、蛇麻黄、囊果苔草和多种短命植物。沙漠西缘有甘家湖梭梭林自然保护区，为中国唯一以保护荒漠植被而建立的自然保护区。沙漠中还活跃着野驴、野猪、黄羊、狼、狐狸、跳鼠、娃娃头蛇、斑鸠、野鹰、沙枣鸟等，有百余种动物在此安居乐业、生息繁衍。

在这座沙漠中，也保留了大量珍贵的古"丝绸之路"文化遗迹。如北庭都护府遗址（红旗农场南）、土墩子大清真寺、烽火台、马桥故城、西泉冶炼遗址等。

古尔班通古特沙漠

4. 鸣沙山、月牙泉：山有鸣沙之异，水有悬泉之神

它坐落于国家历史文化名城敦煌南郊。它是一座位于黄沙漫天的沙漠"山"，因鸣沙现象而得名。它环抱一汪泉水，因酷似新月而被称为"月牙泉"。山有鸣沙之异，水有悬泉之神。

它就是鸣沙山。鸣沙山是国家级重点风景名胜区，它位于甘肃敦煌市南郊7千米的鸣沙山北麓，东起莫高窟崖顶，西接党河水库。鸣沙山山体由细米粒状黄沙积聚而成，黄涛翻滚，山脉连绵起伏，蜿蜒曲折。每每狂风四起时，沙山会发出巨大的轰鸣声，而轻风吹拂时，又伴有丝竹管弦之乐，因而得名鸣沙山。鸣沙山有月牙泉相嵌，泉水四面虽被黄沙包围，却依然清澈明丽，且千年不涸，令人惊异不已。后世因为其产生断流现象，遂进行人工维护，还在月牙泉边建起了亭台楼榭，四周沙山起伏，绵延不绝，与泉水和夕阳相映，景色优美和谐。

鸣沙山有丰富的动植物资源，比较有名的是铁背鱼、七星草，与五色沙一起被誉为"月牙泉"三宝。

鸣沙山自古以来就以传神的自然奇观闻名于世，唐代诗人有云："传道神沙异，暄寒也自鸣，势疑天鼓动，殷似地雷惊，风削棱还峻，人脐刃不平"，就是描述鸣沙山的美景。清代《敦煌县志》更是将"沙岭晴鸣"列为敦煌八景之一。直至今天，鸣沙山也是人们的旅游胜地，吸引了大批游客来此游玩。

鸣沙山

5. 沙坡头：治沙治出来的"沙漠之花"

它是干旱沙漠生物资源"储存库"，具有重要的科学研究价值。它以治沙成果而闻名世界，包兰铁路六穿其中，风沙不侵，畅通无阻。它是中国第一个沙漠自然保护区，绿洲葱郁，溪水长流。

它就是沙坡头。沙坡头位于宁夏回族自治区中卫市，地处腾格里沙漠东南缘，是草原与荒漠、亚洲中部与华北黄土高原植物区系交汇地带，虽处于沙漠地带，但这里的沙子却和天涯海角的沙子一般细腻、柔软，干净得不沾染人间杂物，在阳光下泛起金黄片片，而这漫天的沙海之中，却奔流着无尽的黄河。

沙坡头驰名中外，还缘于其辉煌的治沙成果。1984年，国务院将沙坡头列为"中国第一个沙漠自然生态保护区"，主要保护对象为腾格里沙漠景观、自然沙尘植被及其野生动物。沙坡头所采用"麦草方格"的治沙方法，成功降服了沙魔，重造绿洲，其治沙成果曾被誉为"人类治沙史的奇迹"。

沙坡头共有植物 422 种，野生动物 150 余种，物种丰富，人文历史悠久。唐代诗人王维曾奉旨宣慰在河西打胜仗的将士，途经沙坡头，面对大漠、黄河这般壮美的景色，内心汹涌澎湃，挥毫泼墨，写下了"大漠孤烟直，长河落日圆"千古流传的名句。

作为国家首批 5A 级旅游景区，电影、电视剧也常常在这里取景。沙坡头位居《山海经》西次三经之首的崇吾之山。崇吾之山是黄帝族繁衍生息、采集狩猎、图腾崇拜的神山，自古钟灵毓秀，神异非凡。在这片沙漠土地上，过去、现在和未来相交织，共同书写着一幅明月山河、大漠文明的画卷。

沙坡头

（四）多样的生物

中国是世界上野生动物种类最多的国家之一，仅脊椎动物就约有 4880 种，占世界总数的 11%，其中兽类 410 种，鸟类 1180 种，爬行类 300 种，两栖类 190 种，鱼类 2800 种。大熊猫、金丝猴、白鳍豚、白唇鹿、扭角羚、褐马鸡、扬子鳄、朱鹮等，是中国独有的珍稀动物。东北的丹顶鹤，川陕甘的锦鸡，滇藏的蓝孔雀，以及绶带鸟、大天鹅和绿鹦鹉等，均为名贵珍禽。

中国植物种类繁多。种子植物（含裸子植物和被子植物）约有 2.5 万种，其中裸子植物约有 200 多种，占世界的 1/4，被子植物近 3000 个属。木本植物有 7000 多种，其中乔木 2800 多种。水杉、银杏、珙桐等保存下来的中国特有的古生物种属，为举世瞩目的"活化石"。

1. 大熊猫：地球的"活化石"

它有着胖嘟嘟的身体，圆圆的脸颊，它内八字的行走方式，蹒跚的步伐，憨憨的表情，被称为世界上最可爱的动物之一。它是国家一级保护动物，被誉为"活化石"和"中国国宝"，是世界自然基金会的形象大使。

它就是大熊猫。大熊猫属于食肉目、大熊猫科的哺乳动物，体色为黑白两色。主要栖息地为四川、陕西和甘肃的山区。大熊猫已在地球上生存了至少 800 万年，是世界生物多样性保护的旗舰物种。据第四次全国大熊猫野外种群调查，全国野生大熊猫为 1864 只，截至 2013 年底，全国圈养大熊猫数量仅为 375 只。

2. 白鳍豚：水中的大熊猫

它是我国特有的淡水鲸类，体态丰腴、泳姿优美。它数量稀少，据 2002 年统计已不足 50 头，被誉为"水中的大熊猫"，生存在淡水及咸淡水交汇水域，目前的濒危等级为功能性灭绝，致危因素是洄游被切断、过度捕猎和环境污染。

它就是白鳍豚。白鳍豚自成一科，被列为国家一级保护动物，也是世界上 12 种最濒危的动物之一。白鳍豚在历史上曾经广泛分布于长江流域，后来仅局限于长江中下游及与其连通的洞庭湖、鄱阳湖、钱塘江等水域中，尤以湖北省沙市以下的湖南、湖北、安徽、江苏的长江段为多。2007 年 8 月 8 日，英国《皇家协会生物信笺》期刊发表报告，正式公布白鳍豚功能性灭绝。

1	2
3	4
5	6

1. 大熊猫（崔凯 摄）
2. 白鳍豚
3. 朱鹮（刘冬平 摄）
4. 金丝猴
5. 水杉
6. 珙桐（张军 摄）

3. 朱鹮："吉祥之鸟""东方宝石"

它是一种稀有的美丽鸟类，具有非常高的保护价值和观赏利用价值，被誉为"东方宝石"。它是古老的鸟仙，早在6000万年前就来到了地球之上。它被认为能带来吉祥，被人称作"吉祥之鸟"。

它就是朱鹮。朱鹮古称朱鹭、红朱鹭，系东亚特有种。它生活在温带山地森林和丘陵地带，现存的仅有大约16属26种。由于环境恶化等因素导致种群数量急剧下降，在20世纪80年代，我国陕西省洋县秦岭南麓发现了7只野生朱鹮，后经人工繁殖，目前数量已超过1600多只。

4. 金丝猴：国宝级灵长动物

它群栖高山密林中，主要在树上生活。它有着闪闪发光的金黄色皮毛，蓝色的脸庞，向上微翘的小巧的鼻子。它动作优雅，形态独特，性情温和，其珍贵程度与大熊猫齐名，同属"国宝级动物"，深受人们喜爱。

它就是金丝猴。金丝猴是脊椎动物，哺乳纲，灵长目，猴科，疣猴亚科，仰鼻猴属，为中国特有的珍贵动物。中国的金丝猴有三个种类：滇金丝猴、黔金丝猴、川金丝猴，均已被列为国家一级保护动物。

当前，除中国外，世界上仅有法国、英国等极少数国家的博物馆中收藏有若干金丝猴标本。中国已经建立西安周至金丝猴自然保护区、白河川金丝猴保护区、红拉山滇金丝猴保护区、巴东县沿渡河金丝猴自然保护区、芒康滇金丝猴国家级自然保护区等对金丝猴实施保护。

5. 水杉：植物界的"活化石"

它被誉为植物界的"活化石"，早在遥远的中生代白垩纪就已出现并广泛分布于北半球。它树姿优美，为庭园观赏树。它对于古植物、古气候、古地理和地质学，以及裸子植物系统发育的研究均有重要的意义。

它就是水杉。水杉是裸子植物，杉科，落叶乔木。1941年中国植物学者在四川万县谋道溪（今称磨刀溪）首次发现这一闻名中外的古老珍稀孑遗树种。后又在重庆万州、石柱县，湖北利川和湖南龙山、桑植等地区发现了300余年的巨树。为避免残存的水杉林被其他树种所更替，全国许多地区都已引种，尤其是东南各省及华中各地。目前亚洲、非洲、欧洲、美洲等 50 多个国家和地区都已引种栽培。

6. 珙桐：中国特有的单属植物

它是 1000 万年前新生代第三纪留下的孑遗植物，为中国特有的单属植物，也是全世界著名的观赏植物。它被誉为"中国的鸽子树"，又称"鸽子花树"，寓意"和平友好"。

它就是珙桐。珙桐为落叶乔木，国家一级保护植物。在中国，珙桐分布广泛。"珙桐之乡"的四川省珙县王家镇分布着全国数量最多的珙桐。其他分布于陕西、湖北、湖南、贵州、重庆、广东等地区。

水质污染后成片的死鱼

第二节 生态的警示，发展的思考

一部人类文明的发展史，就是一部人与自然的关系史。中华文明五千年的先贤先哲都把丰富的森林作为国势兴旺的标志，把栽种树木作为治国安邦的大计，黄帝陵中有黄帝手植柏，孔庙中有孔子手植树。然而，在现代文明驱使下，人类忽视了这些山、水、沙漠及生物，它们作为自然界的一部分，都蕴藏着宝贵的金山银山，不惜以牺牲环境为代价，最终受到了自然界的惩罚，森林大面积消失、土地沙漠化扩展、湿地不断退化、物种加速灭绝、水土严重流失、严重干旱缺水、洪涝灾害频发、全球气候变暖等生态危机席卷全球，给人类带来了巨大的损失，构成了人类发展的巨大威胁。

生态失衡的危机，文明发展的警示，唤醒了中国人的觉醒。习近平总书记的生态观，尤其是对"两座山"的阐述精确地指出了现阶段生态建设的核心及重心，具有重要意义。

（一）生态的警示：十大全球生态危机

2013年7月，时任国家林业局局长赵树丛在全国林业厅局长会议上提到十大全球生态危机：森林减少、湿地退化、土地沙化、物种灭绝、水土流失、干旱缺水、洪涝灾害、水污染、空气污染、气候变暖。这十大生态危机在我国都有不同程度的存在，有的还很突出。

人类只有一个地球，地球生态系统不可再造。人类历史走过原始文明、农业文明、工业文明之后，地球上的资源已呈现过度利用，生态已陷入严重负债状态。特别是过去的数十年时间里，由于人类不理智的经济活动，加之在经济利益驱动下，无节制的破坏性、掠夺性开发，致使大量原始森林、湿地等自然景观遭到毁灭性的破坏，教训十分惨痛。如此下去，整个生态系统终会彻底崩溃。这并非危言耸听，而是活生生的现实。目前，我国的生态环境恶化的态势十分严重，主要表现在森林保护压力大，土地沙化、湿地退化和物种保护形势严峻，水土流失、干旱缺水、洪涝灾害等自然灾害频发，水质污染和空气污染问题严重，应对全球气候变化的压力巨大。失衡的危机，为我们频频敲响了警钟，为粗放式发展的工业化亮起了红灯。为了子孙后代的生存和发展，拯救我们脆弱的原始生态系统已经刻不容缓。

1. 森林减少，生态脆弱

森林是人类文明的摇篮。从钻木取火，到采伐森林，人类在漫长的文明进程中开始学会与森林为伴。在原始文明中，森林与人类是和谐共生的关系。进入农业文明之后，随着人口增加、生产力水平提高，在不断增长的需求支配下，人类开始不断向森林索取，大量林地变成了耕地、牧场、厂矿和油田，森林已变得千疮百孔，伤痕累累。

新中国成立初期，森林覆盖率只有8.6%，可以用童山濯濯形容。从新中国成立初期到20世纪60年代初期，虽然大量造林，但由于经济发展和国防需要，国家总体上以采伐森林为主，导致森林面积、森林覆盖率很低。随着人口的不断增长，人均森林蓄积呈下降趋势，60年代初森林覆盖率只有11.81%；与60年代初相比，1973～1976年，森林面积和森林覆盖率有所恢复，森林蓄积量却下降了19.94%，这是森林赤字扩大时期，人均森林蓄积继续下降。90年代之后，森林面积、森林覆盖率、森林蓄积量和人均森林蓄积量4个指标才同时出现增长趋势，改变了森林赤字局面。2014年，第八次全国森林资源清查结果显示：全国森林面积2.08亿公顷，森林覆盖率21.63%，但中国仍然是一个缺林少绿、生态脆弱的国家。

而从世界范围看，随着人口的增加，全球森林面积呈逐渐缩减趋势，野生动物灭绝加快。森林病虫害日益增加，森林防灾减灾的能力减弱。

2. 湿地退化，功能堪忧

湿地与人类生存、繁衍、发展息息相关，是自然界中生物多样性最丰富的生态系统，也是人类最重要的生存环境之一。湿地生物资源丰富，虽然湿地覆盖地球表面仅为8.6%，却蕴藏着地球上20%的已知物种。它不仅可以给人类提供水和食物，而且还在抵御洪水、调节径流、控制污染、调节气候、美化环境等方面起到重要作用。它既是陆地上的天然蓄水库，又是众多野生动植物的家园，特别是珍稀水禽的繁殖和越冬地，因此湿地被称为"生命的摇篮""地球之肾"和"鸟类的乐园"。在我国36.2万平方千米自然湿地中，生存着兽类31种、鸟类271种、爬行类122种、两栖类300种、鱼类1000多种。湿地中有高等植物225科、815属、2276种（包括种以下分类单元），分别占全国高等植物科、属、种数的63.7%、25.6%和7.7%。近些年来，高速发展的经济对环境产生了负面影响，城市扩张、湿地改造、人口增长及狩猎压力，使得湿地被大面积开发、干扰甚至破坏了湿地的基本功能，造成了湿地退化的生态危机。

导致湿地变化的原因主要有自然驱动力和人为驱动力两大类。导致我国湿地变化的人为驱动因素主要是因为农业开垦活动和城镇化发展，以及水利工程和采矿等工业活动，这不但破坏了自然湿地，容易造成水土流失，会使周围地区湿地退化，对湿地生物保护非常不利，还对湿地生物多样性保护和可持续发展构成严重的威胁。

自20世纪以来，湿地变化已经引起了全社会的广泛关注。据《联合国千年生态系统评估报告》数据显示，20世纪以来，北美、欧洲、澳大利亚和新西兰部分地区的某些类型湿地超过50%已发生转变。就湿地面积变化来看，美国的湿地丧失了54%，法国67%，德国57%。其间，由于过度开发、毁灭性捕捞、污染与淤积，全球约有20%的珊瑚礁已丧失。新中国成立以来，我国湿地退化和丧失速度惊人。我国滨海湿地累计丧失1.19万平方千米，占全国滨海湿地总面积的50%；全国围垦湖泊面积达1.3万平方千米以上，湖泊消失1000多个。被誉为"千湖之省"的湖北省，面积在1平方千米以上的湖泊，消失了477个。据2003年"通江湖泊"调查，长江中下游原有的100多个通江湖泊，只剩下洞庭湖、鄱阳湖2个。据相关部门统计，20世纪后半期，我国有50%的滨海湿地、13%的湖泊湿地被围垦；56%的天然红树林丧失；长江中下游的围垦使湿地面积减少了34%。洞庭湖湿地面积已由新中国成立初期的4350平方千米下降到目前的2625平方千米。

3. 土地沙化，形势严峻

土地沙化是我国面临的最严峻的生态危机之一。我国开展的沙化监测显示，沙化土地面积从20世纪70年代到21世纪初一直呈增长趋势。土地沙化吞噬着中华民族的生存发展空间，造成土地生产力下降，造成沙尘暴等灾害频发。

地球表面43%的土地分布在干旱地区，110多个国家受土地荒漠化之害，全世界每年为此造成的损失达420亿美元之巨。我国是世界上受沙化危害最严重的国家之一。据第四次全国荒漠化和沙化土地监测结果显示，截至2009年底，全国沙化土地面积为173.11万平方千米，占国土总面积的18.03%，分布在30个省（自治区、直辖市）的902个县（市、区、旗）。目前，我国土地沙化整体得到初步遏制，沙化土地持续减少，局部仍在扩展。沙化土地面积持续净减少，土地沙化程度减轻，植被状况进一步改善，沙化土地监测显示，受过度放牧、滥开垦、水资源的不合理利用以及降水量偏少等综合因素的共同影响，川西北高原、塔里木河下游等区域沙化土地处于扩展状态，但扩展的速度已经趋缓。

土地沙化的驱动机制可以分为人为因素和自然因素，在我国人为因素被认为是主要因素。人口增长对生态环境容量的压力，滥牧、滥采、滥挖、滥垦及水资源的无序利用等人为因素是造成土地沙化的根本原因。我国沙区草场牲畜超载率为50%～120%，个别地区高达300%，致使草场退化严重；局部地区因滥采导致土地沙化十分严重；沙区滥挖中药材、搂发菜及无序采矿等破坏植被现象突出；水资源无序利用。上游截水，大水漫灌，造成土地盐渍化；下游缺水，荒漠植被死亡。塔里木河及下游270千米河道断流，3530平方千米胡杨林枯死；黑河进入内蒙古绿洲的水量由过去的9亿立方米降至2亿立方米，东西居延海已干涸，9300平方千米梭梭林枯死，沙化加剧。民勤绿洲，由于大规模开采地下水，造成地下水位急剧下降，大片沙生植被干枯死亡，沙丘活化。自然因素驱动土地沙化主要是地理因素和气候因素，近年来频繁发生于中国西北、华北地区的沙尘暴，加剧了这些地区的土地沙化过程，导致了极为严重的后果。

土地沙化是当今世界人类共同面临的一个重大生态危机和社会问题，土地沙化对我国的危害十分惊人，加剧了土地生产力的衰退和自然灾害，加剧了沙区的贫困，造成生物多样性的骤减。

4. 物种灭绝，生存危机

自从人类登上生物进化舞台以来，人口数量剧增，人类迅速演化成为地球上的优势物种，占据了地球上绝大部分生存空间。工业革命以来，人类对地球的影响，从南极到北极，从荒漠到海洋，几乎无处不在。人类的活动还深入地球外层空间和地球内部。人类活动的规模和烈度导致了地球上生物物种的生存危机，并一定程度上破坏了生物演进的时间序列。造成物种大灭绝的可能原因很多，如陨石撞击地球、火山爆发、气候变冷或变暖、海平面上升或下降等自然灾变现象，都可能导致物种大灭绝。

近年来，随着全球极端气温的不断出现，自然栖息地的人为侵占和隔离（破碎化），野生动植物资源的过度开发，外来种的侵入，土壤、空气和水污染，工业化的不断发展等，导致生物多样性正面临着日益退化和丧失的威胁。

1	2
3	4

1. 森林减少
2. 湿地退化
3. 土地沙化扩张
4. 物种灭绝

5. 水土流失，危害严重

水是生命之源，土壤为人类生存之本。水土流失是在水力、重力、风力等外力作用下，水土资源和土地生产力的破坏和损失，包括土地表层侵蚀和水土损失，又称为水土损失。在自然界中，水土资源是物质间交换的媒介，将无机界和有机界、生物界和非生物界高效地串联融合。如果离开它们，生物将失去存身之所，放任水土流失会直接导致水土资源破坏，恶化生态环境，进而危及人类生存和发展。

农业生产是社会经济可持续发展的基石。而作为生产资料的耕地源源不断地为人类提供着最基本也是最重要的产品——"食物"。耕地是一个复杂而宝贵的财产，农民通过本土文化和地理因素来决定如何去使用耕地，这造成了水土流失在不同地区的差异化。即使在科技日新月异的今天，人类依然无法离开土壤，目前无土栽培等技术还不能完全替代土壤的重要作用，土壤的流失几近不可逆，如若不经意间丢失水土，人类就如弃水之鱼，前途堪忧。

6. 干旱灾害，危及民生

我国是一个水资源相对贫乏的国家，自古以来旱灾就是主要自然灾害之一。据不完全统计，公元前 206 ～公元 1948 年，我国曾发生较大旱灾 1056 次，平均两年发生一次灾害。新中国成立以后，每年都有不同程度的旱灾发生。1950 ～ 1986 年全国平均每年受旱面积 20 万平方千米，成灾 7.33 万平方千米。干旱严重的 1959 年、1960 年、1961 年、1972 年、1978 年和 1986 年全国受旱面积都超过 30 万平方千米，且成灾面积超过 10 万平方千米。1999 ～ 2001 年 3 年连续干旱，影响 10 多个省（自治区、直辖市），平均受灾 36.38 万平方千米，成灾面积 22.37 万平方千米，是新中国成立以来最为严重的一次干旱灾害。2006 年重庆旱灾达百年一遇，直接经济损失 71.55 亿元，农作物受旱面积 1.32 万平方千米，815 万人饮水困难。2009 年干旱波及华北、黄淮、西北、江淮等地 15 个省（市），全国耕地累计受旱面积 42.13 万平方千米。2010 年，西南五省遭遇百年一遇大旱，受灾人数达 5000 多万，农作物受灾面积近 5 万平方千米。

中国是一个干旱缺水严重的国家。虽然淡水资源总量为 28000 亿立方米，占全球水资源的 6%，仅次于巴西、俄罗斯和加拿大，居世界第四位，但人均只有 2200 立方米，仅为世界平均水平的 1/4、美国的 1/5，在世界上名列 121 位，是全球 13 个人均水资源最贫乏的国家之一。目前，我国有 15 个省、自治区、直辖市人均水资源量低于严重缺水线，有 7 个省、区人均水资源量低于生存的基本线。全国 561 个地级以上城市中，有 400 多个城市供水不足，日缺水量 1600 万立方米，年缺水量约 60 亿立方米。全国农村有 2000 多万人和数千万头牲畜吃水困难。专家预言，2030 年我国缺水将达 400 亿~500 亿立方米，供水量严重不足。我国部分山区、草原、滨海和海岛还有 6000 万人口和 4500 万头牲畜饮水十分困难。每年的农业收成和工业产值都因缺水造成重大损失。从人口和水资源分布统计数据可以看出，中国水资源南北分配的差异非常明显，南方水多，北方水少。长江流域及其以南地区人口占了中国的 54%，但是水资源却占了 81%；北方人口占 46%，水资源只有 19%。

7. 洪涝灾害，毁失家园

我国自古多洪涝灾害，是世界上洪涝发生频率最高、受灾最重的少数国家之一，历史上有关水灾的文字记载可以追溯到 4000 年之前。

古代洪灾多传说。相传虞夏时期，黄河流域连续出现特大洪水，《尚书·尧典》记载："汤汤洪水方割，荡荡怀山襄陵，浩浩滔天，下民其咨。"滔天的洪水淹没了广大平原，包围了丘陵和山岗，大水经年不退，给人民带来深重的灾难。直到秦汉以后，记载的内容才具体明确。

近代洪灾有背景。近代中国处在封建社会末期，国力衰竭，经济凋敝，河政极度腐败，防洪工程残破不堪，防御自然灾害的能力极低。19 世纪 40 年代以后，以黄河 1855 年铜瓦厢决口为标志，长江、黄河、淮河、海河等主要河流的河道形势发生了重大变化。黄河改道北徙，夺山东大清河入海，此后河道形势逐渐稳定，并形成目前河道格局。淮河也从此摆脱了黄河的束缚，结束了长达 600 余年黄河乱淮的历史。差不多同一时期，长江河道形势也发生了剧变，长江中游先后冲开藕池口和松滋口，形成松滋、太平、藕池、调弦四口分流入洞庭湖的局面，大量泥沙进入洞庭湖，使长江中游的江湖关系、荆江河段发生了很大变化。

现代水灾仍频繁。新中国成立以后，经过 60 余年的水利建设，主要江河常遇洪水基本得到控制，洪灾频率显著下降。但由于人口激增，山区毁林垦荒，水土流失面积不断扩大，中下游围滩围湖与水争地，加上江河湖海的自然演变，又产生了许多新的问题，遇到特大洪水，灾害依然十分严重。根据资料记载，20 世纪后半叶，中国主要发生的较大洪灾有：1950 年淮河大洪灾；1954 年长江大洪灾；1963 年海河大洪灾；1975 年河南特大暴雨洪灾；1981 年四川暴雨洪灾；1983 年安康城特大洪灾；1985 年辽河洪灾；1988 年嫩江、柳江、洞庭湖洪灾；1991 年淮河流域和太湖发生大洪水，长江下游支流滁河两次发生有资料记载以来的最大洪水；1994 年长江支流湘江、赣江，珠江流域的西江、北江发生了 3 次大洪水，大凌河、滦河、海河流域的蓟运河、北运河，黄河支流北洛河、松花江支流辉发河、伊通河和饮马河，辽河干流及支流东辽河均发生大洪水；1995 年我国发生了严重洪涝灾害，多地区普遍受灾；1996 年全国普遍受灾，长江中下游的湖南省受灾最重；1998 年中国经历了一场长江、松花江、嫩江全流域性特大洪涝灾害；2003 年、2007 年淮河两次发生流域性大洪水；2010 年长江流域发生大洪灾。从上面资料可以看出，20 世纪后半叶中国的洪涝灾害严重，有的年份全国普遍受灾，80 年代以后，灾害频度增加，尤其 90 年代，平均两年发生一次大洪灾，呈愈演愈烈之势。

8. 水污染严重，威胁生存

人类的活动会使大量的工业、农业和生活废弃物排入水中，使水受到污染。全世界每年约有 4200 多亿立方米的污水排入江河湖海，污染了 5.5 万亿立方米的淡水，这相当于全球径流总量的 14% 以上。1984 年颁布的《中华人民共和国水污染防治法》中为"水污染"下了明确的定义，即水体因某种物质的介入，而导致其化学、物理、生物或者放射性等方面特征的改变，从而影响水的有效利用，危害人体健康或者破坏生态环境，造成水质恶化的现象称为水污染。中国水环境的前景令人担忧。多年来，中国水资源质量不断下降，水环境持续恶化，由于污染所导致的缺水和事故不断发生，不仅使工厂停产、农业减产甚至绝收，而且造成了不良的社会影响和较大的经济损失，严重地威胁了社会的可持续发展，威胁了人类的生存。中国北方五省区和海河流域地下水资源，无论是农村（包括牧区）还是城市，浅层水或深层水均遭到不同程度的污染，局部地区（主要是城市周围、排污河两侧及污水灌区）和部分城市的地下水污染比较严重，污染呈上升趋势。

我国的水污染的现实严峻，会使农产品和食物质量不断下降，导致严重经济损失，严重危害人体健康，影响诸多生态环境问题，而且水污染不可逆转、很难治理，治理成本高，修复周期长。水污染必然影响到土壤的质量。土地是国家的根本，民族的家园。我们习惯将大地比作母亲。如果大地母亲受到污染"生病"了，我们怎能不关心、不动情。

9. 空气污染，事关全民

举世闻名的"雾都"伦敦之得名，除了英国独特的地理与气候条件外，与18～19世纪的工业化密不可分。英国每到秋冬季节，从海洋吹来的大量暖空气与岛屿上空较冷的气团相遇，北大西洋较暖的水流与不列颠群岛区域较冷的水流接触，形成浓厚的海雾，笼罩着英国上空，首都伦敦尤为严重。英国工业革命时期，各类工程和家庭炉灶以煤为燃料，烟尘、硫氧化物、碳氧化物等有害气体是英国主要的空气污染源。当时伦敦的工厂如雨后春笋，高大的烟囱林立，加上无数传统的壁炉，处处浓烟滚滚。19世纪英国的城市环境之所以呈病态，与那个时代和社会的价值取向关系密切。当时人们追求的还是生活必需的物资，这一时期英国社会形成了追求财富的洪流。在这种风气影响下，全社会的目标主要集中在经济效益方面："从个人到企业，从地方到中央，都主要是以经济效益高低论成败、定政绩。因此，生态效益、社会效益往往被忽视，甚至以牺牲生态效益和社会效益来谋求经济效益。"

20世纪50年代发生的伦敦市严重的大气污染引起英国政府及各界的高度重视。50年代初至70年代末，英国开始重点治理煤烟对大气污染造成的危害，加强立法，控制机动车污染，加强城市绿化，改善城市空气质量，一系列综合治理措施，取得了显著成效。

当代中国的空气污染形势严峻。中华人民共和国环境保护部近年开展的公众对城市环境满意度电话入户调查结果显示，公众对空气质量的满意率仅为55.2%，是城市所有环境问题中满意度最低的。新中国成立以来，我国建立了比较完善的工业体系，经济发展异常迅速。但是在发展工业的同时，我们的大气环境却受到了严重的污染，我国的大气污染主要表现为城市大气的污染。我国城市大气污染以烟煤型为主，部分大中城市出现烟煤和机动车尾气混合污染。

10. 气候变暖，危机酝酿

全球气候正在发生有史以来从未有过的急剧变化，由于人类使用化石燃料排放的大量二氧化碳等温室气体导致大气增温效应明显加强，如果继续保持当前或高于当前的温室气体排放速率将会引起大气进一步变暖，到21世纪末，全球气温可能比工业化之前的时期升高5℃甚至更多。

近百年来，全球气候正在经历一次以变暖为特征的显著变化，全球平均气温升高，而且升温呈现加速的趋势。2007年，联合国政府间气候变化专门委员会（以下简称"IPCC"）公布的第四次评估报告对当前的气候变化形势做出了明确判断，"气候系统变暖已经毋庸置疑"，1906～2005年全球地表平均温度升高了0.74℃，并伴随海温升高、大范围冰雪融化和海平面上升等现象。这也使20世纪成为至少过去1300年中气候最暖的100年。而且全球气温正在加速变暖，在1995～2006年的12年中，有11个属于自有记录以来最暖的年份。如果目前的情况持续下去，到21世纪末全球地表平均温度可能升高1.1～6.4℃。据报道，2012年全球有5国创下高温纪录，2012年成为美国史上最热的一年，这也是1880年有纪录以来又一个暖冬，温度排在史上有气温纪录以来的第8名。联合国秘书长潘基文在多哈举行的《联合国气候变化框架公约》高级别会议上指出，"2012年北极冰层大面积融化、超级风暴以及海平面上升，都是危机酝酿的迹象"。

我国的气候变化与全球气候变化具有相当的一致性，但也存在明显差别。通过对近100年和近50年中国的气候变化历史进行系统分析比较，中国科学家发现：在气温变化的总体特征上，近100年来中国年地表平均气温明显上升，升温幅度约为0.5～0.8℃，比同期全球平均值（0.6±0.2℃）略强；在气温变化的季节和地区特征上，中国的气候变化特点同北半球基本一致，除夏季以外，冬、春、秋三季气温均呈上升趋势，增温最明显的季节是冬季和夏季，变化幅度分别为1.64℃、1.32℃；在降水变化特征上，从全国平均来看，各个地区的降水量发生了明显的年代际或更长尺度的变化，其中长江中下游和西部地区的降水量有明显增加趋势，但华北、西北东部、东北南部等地区降水量出现下降趋势；在有关其他气象要素的变化方面，近50年中国的日照时数、水面蒸发量、近地面平均风速、总云量均呈显著减少趋势，最大积雪深度有所增加；在极端气候事件的变化方面，近50年中国主要极端天气气候事件的频率和强度出现了明显变化，寒潮事件频率数显著下降，中国华北和东北地区干旱趋重，长江中下游地区和东南地区洪涝加重。

1.水土流失
2.干旱缺水
3.洪涝灾害
4.水污染（蒋柱檀 摄）
5.空气污染
6.气候变暖

（二）发展的思考：绿水青山也是金山银山

一次次对大自然的索取之后，西方的工业化道路，留下了太多自然生态遭到严重破坏的印记。面对日趋严重的生态危机，中国人民经过几十年的思索、十多年的探求，生态文明建设的理念在中华大地上渐渐成长。

从大地园林化，生态工程，全民绿化，到再造秀美山川，从美丽中国，到绿水青山，生态文明建设。凝聚着中国人对美好家园的夙愿。

党的十八大以来，以习近平同志为总书记的新一届领导集体，顺应时代发展的历史潮流，发出了"我们一定要更加自觉地珍爱自然，更加积极地保护生态，努力走向社会主义生态文明新时代"的宣言。党的十八大指出："必须树立尊重自然、顺应自然、保护自然的生态文明理念，把生态文明建设放在突出地位，融入经济建设、政治建设、文化建设、社会建设各方面和全过程，努力建设美丽中国，实现中华民族永续发展。"

习近平总书记以马克思主义理论与生态实践相结合，对社会主义生态观进行深刻、精辟的诠释，形成了指导国家长远发展的中国特色社会主义生态观，对于建设生态文明、建设美丽中国、实现中华民族永续发展具有重大的现实意义和深远的历史意义。习近平总书记指出："建设生态文明是关系人民福祉、关系民族未来的大计。我们既要绿水青山，也要金山银山。宁要绿水青山，不要金山银山，而且绿水青山就是金山银山。"

1. 绿水青山换金山银山

长期以来，我国不讲科学、不要未来地向大自然过度索取，以牺牲自然环境及可持续发展作为代价，不仅不会使人民远离贫穷，反而让人民吃尽苦头。历史与近代的人为对环境与资源的破坏，加剧了自然灾害造成了生态的退化与危机。人口密集、大气污染、水土流失、水污与水荒、土壤沙化与植被荒漠化等问题甚为明显。

2013年9月23～25日，习近平总书记在参加河北省委常委班子专题民主生活会时指出："高耗能、高污染、高排放问题如此严重，导致河北生态环境恶化趋势没有扭转。这些年，北京雾霾严重，可以说是'高天滚滚粉尘急'，严重影响人民群众身体健康，严重影响党和政府形象。"

总书记还指出，要给你们去掉紧箍咒，生产总值即便滑到第七、第八位了，但在绿色发展方面搞上去了，在治理大气污染、解决雾霾方面作出贡献了，那就可以挂红花、当英雄。反过来，如果就是简单为了生产总值，但生态环境问题越演越烈，或者说面貌依旧，即便搞上去了，那也是另一种评价了。

曾经的浙西南山区丽水就走过一段用绿水青山换金山银山的弯路。这里的发展曾经一度缓慢，与浙东沿海发达地区形成较大反差。为了不使差距拉得太大，鼓励百姓开发山水资源，只讲金山银山而不顾绿水青山，甚至牺牲绿水青山换取一时的金山银山，变成了饮鸩止渴、竭泽而渔的不可持续的发展模式。只要金山银山，不要绿水青山，老百姓不仅没有致富，反而陷入更深的贫穷状态，步入"越穷越垦、越垦越穷"的恶性循环，最终没有保住绿水青山。

如今，丽水人民用系统工程思路抓生态建设，自觉把生态文明纳入全市经济、政治、文化、社会建设的各方面和全过程，实现生态经济化和经济生态化。他们把建设生态文明作为指导全市各方面发展的主导战略，纳入全市经济社会发展规划，精心谋划并大力发展生态农业、生态工业、生态型现代服务业。转型传统农业，利用好山好水好空气，大力发展生态精品农业，坚持规模化、标准化、电商化，强化科技在农业中的应用，不断提高农产品质量、附加值和市场竞争力。大力发展生态工业，坚持绿色投资、绿色生产、绿色营销，以发展高端装备制造、新能源、新材料、生物医药等产业为重点，努力培育新兴产业高地和创新驱动主阵地。着力推进生态型服务业振兴，着重推动电子商务、信息服务、现代物流业发展，在全国14个典型"淘宝村"中，丽水独占两席。

生态文明是人类社会发展的潮流和趋势，不是选择之一，而是必由之路。生态兴则文明兴，生态衰则文明衰。当前各类自然灾害呈增加趋势，特别是气候变化已对人类社会和自然生态系统构成严重威胁，严重影响人类可持续发展的进程。正确处理经济发展和生态保护的关系，促进经济社会可持续发展，构建人与自然和谐相处的生态文明，已日益成为中华民族发展的必然选择。

2. 既要金山银山又要绿水青山

2013年4月25日，习近平总书记在十八届中央政治局第六次集体学习发表讲话时谈到，如果仍是粗放发展，即使实现了国内生产总值翻一番的目标，牲上。对区域经济来说，工业园区的门槛要提高，企业污染物排放的要求更严格，但长远的影响是无量的功德。保护生态、发展生态，需要方法。只要全国人民按照中央的统一规划和部署，建设生态、维护生态、保护生态，就能走出一条生态修复、经济转型、环境优美的生态文明之路。

既要金山银山，也要绿水青山；既要全面小康，更要人身健康；既要富强中国，也要美丽中国。中国在通向工业化、城镇化、信息化、农业现代化的道路上，绝不能以牺牲生态环境为代价换取经济的一时发展。建设美丽中国，营造美好环境，是我们每一个人义不容辞的责任，只要我们都来为生态和环境保护出力，我们就能完成建设生态文明、建设美丽中国的战略任务，给子孙留下天蓝、地绿、水净的美好家园。

3. 建设绿水青山带来金山银山

习近平总书记指出："要正确处理好经济发展同生态环境保护的关系，牢固树立保护生态环境就是保护生产力、改善生态环境就是发展生产力的理念，更加自觉地推动绿色发展、循环发展、低碳发展，决不以牺牲环境为代价去换取一时的经济增长。"绿水青山可以转化为经济发展优势，保护生态环境就是保护生产力，良好的生态环境是最普惠的民生福祉。绿水青山可以源源不断地带来金山银山，绿水青山本身就是金山银山。生态优势转化为经济优势，从而形成了一种浑然一体、和谐统一的关系，这一阶段是一种更高的境界，体现了科学发展观的要求，体现了发展循环经济、建设资源节约型和环境友好型社会的理念。

习近平总书记讲话中关于绿水青山的论述，体现了人们对绿水青山的认识过程，这个过程是经济增长方式转变的过程，是发展观念不断进步的过程，更是人与自然关系不断调整、趋向和谐的过程。习近平总书记对生态的重视，契合了百姓对生态的期许，中国梦，离不开天蓝、地绿、水净的美好家园；生动诠释了建设生态文明的核心理念，不仅深刻阐明了经济发展与生态环境保护的辩证关系，而且形象表达了党和国家推进生态文明建设的鲜明态度和坚定决心。多年来，以中国林业为主体的生态建设主力军引导地方林业立足各自的地理特点和良好的自然禀赋，努力践行"绿水青山就是金山银山"的发展理念，坚持"经济生态化、生态经济化"，不仅生态环境有了改善，还实现了生产发展、生活富裕和生态优美的良性循环。

诚然，绿水青山中蕴藏宝贵的自然资源。人的命脉在田，田的命脉在水，水的命脉在山，山的命脉在土，土的命脉在树，人类的生存发展离不开山水林田湖的呵护和庇佑。如果青山不在，绿水不流，污染遍地，灾害频发，人类生存就会受到极大的威胁。在初期的实践中，人们并没能认识到它的重要作用，采用粗放的发展模式，不考虑或者很少考虑环境的承载能力，一味索取资源，用绿水青山去换金山银山。当经济发展和资源匮乏、环境恶化之间的矛盾开始凸显的时候，人们逐渐认识到环境的重要，只有"留得青山在"，才能"不怕没柴烧"，既要金山银山，也要保住绿水青山。

宁要绿水青山，不要金山银山。生态是人类社会的根基所在和命脉所系，生态文明则是政治文明、经济文明、社会文明等发展的基础。中国务林人要始终牢记习近平总书记的殷切嘱托，尊重自然生态发展规律，牢固树立保护自然环境就是保护人类、建设生态文明就是造福人类，保护生态环境就是保护生产力、改善生态环境就是发展生产力的理念。始终坚持"宁要绿水青山，不要金山银山"，始终坚持不以牺牲环境为代价去换取一时的经济增长，坚持不走"先污染后治理"的老路，坚持不以牺牲后代人的幸福为代价换取当代人的所谓"富足"，坚持错位竞争、差异发展，倾力打造"山水城市、生态产业、美丽乡村"，在更高层次上实现人与自然和谐统一。

其实，"绿水青山"与"金山银山"如何取舍？这是各国在经济社会发展中谁都绕不开、躲不过的一道难题。能够使"两座山"兼得自然是最佳选择，但在经济社会发展的一定阶段上，尤其是当经济技术实力和科技发展水平等条件不具备的时候，二者常常是矛盾的，甚至会发生冲突，这时要做出合理的选择往往非常困难。

21世纪初期，浙江丽水的经济相对比较贫困，许多人提出接轨浙东，搞好产业合作，承接产业转移，并有很多浙东及外地企业主动找到丽水合作。时任

云南哈尼湿地自然风光（张洪康 摄）

第三节 生态文明的中国探索

生态文明作为人类文明的一种新形态，是人类文化发展的成果，也是可持续发展的目标。生态文明通过人与自然交往过程中的生态意识、价值取向和社会适应，维护和增强自然生态系统的供给、调节、支持、文化四项服务功能，实现自然资源和生态环境的生态价值、经济价值、社会价值和文化价值。

生态文明是推动绿色发展的源动力，是建设美丽中国的向心力，是提升国家发展的软实力，是实现中华民族复兴的驱动力。生态文明的灵魂是生态哲学。生态哲学把世界看做是"自然—人—社会"复合生态系统，从哲学智慧层面上，深刻揭示了万物相联、包容共生，平衡相安、和谐共融，平等相宜、价值共享，永续相生、真善美圣的生态文明思想精髓。人类是地球生命系统中的一员，与其他生物及其环境因素具有功能和结构的依赖性，构成鲜活的生命共同体。人与自然的关系经历了"以自然为中心"到"以人为中心"两个发展阶段，正开始进入"人与自然和谐共处"的第三个阶段。

中国正在充分发掘生态文明的历史积淀，揭示生态文明的思想精髓，丰富生态文明的时代内涵，彰显生态文明的民族特色，实现生态文明体系的理论创新和实践运用，为中华民族伟大复兴贡献力量。

（一）天人合一，生态之行

人与自然的和谐共存，主要是说人类顺应自然、因应自然而生活，自然不是人类的敌人，不是人类的征服对象，而是人类的亲人与朋友，是人类生存的家园，热爱自然就是关爱人类，维护自然就是维护人类自己的家园。

1. 天人合一的古往之思

2014 年 9 月 24 日，习近平总书记在参加纪念孔子诞辰 2565 周年国际学术研讨会时指出："中国共产党人始终是中国优秀传统文化的忠实继承者和弘扬者。从孔子到孙中山，我们都注意汲取其中积极的养分。"他在讲话中强调："中国优秀传统文化的丰富哲学思想、人文精神、教化思想、道德理念等，可以为人们认识和改造世界提供有益启迪，可以为治国理政提供有益启示，也可以为道德建设提供有益启发。"

回眸历史，文人墨客早已在作品中流露出对绿水青山的向往。《诗经》中提到："汉之广矣，不可咏思。江之永矣，不可方思。""陟其高山，嶞山乔岳，允犹翕河，敷天之下，裒时之对，时周之命。"无不表达了古人对山的崇敬，水的哲思。可以说，中华民族比世界上任何一个民族都更加懂得尊重自然、顺应自然、保护自然。"天人合一""道法自然"等朴素的生态文明的哲学智慧，过去、现在和将来，都将伴随和影响实现中华民族伟大复兴的进程，成为凝聚人民追求梦想、鼓舞斗志的力量源泉。

以孔子为创始人的儒家继承发展了春秋以来的人文精神，也初步确立了万物一体的自然观。据《论语·述而》记载，孔子"钓而不纲，弋不射宿"，孔子为满足生活需求，也钓鱼打猎，但孔子不用渔网打渔，用渔网捉鱼有把鱼不论大小一网打尽之嫌；孔子打猎，但不射归巢的鸟，或歇宿的鸟，因为归巢的鸟有可能要产卵或养育幼雏鸟。

《礼记·中庸》提出"能尽人之性，则能尽物之性"，即通过尽人之性达到尽物之性。尽物之性就是使物成之为物，即使物各得其所，按照其自身固有的秉性和规律存在与运行。儒家认为人高于自然，必须利用自然而生存生活，强调在利用自然的同时更要保护自然，关爱万物，把自然看做人类的生存家园，要维护自然的生态平衡，注意自然资源的可持续发展，决不允许破坏自然，破坏自然甚至会危及国家的安全。

中国宋朝以后由程颢、程颐、朱熹等人发展出来的儒家流派，被称为程朱理学。程朱理学认为"理"是宇宙万物的起源，而且它是善的，它将善赋予人便成为本性，将善赋予社会便成为"礼"，而人在世界万物纷扰交错中，很容易迷失自己禀赋自"理"的本性，社会便失去"礼"。

程朱理学还认为，"理"是宇宙万物的起源，所以万物"之所以然"，必有一个"理"，而通过推究事物的道理（格物），可以达到认识真理的目的（致知）。如果无法收敛私欲的扩张，则偏离了天道，不但无法成为圣人（儒家最高修为者，人人皆可达之），还可能会迷失世间，所以要修养、归返，并伸展上天赋予的本性（存天理），以达致"仁"的最高境界，此时完全进入了理，即"天人合一"矣，然后就可以"从心所欲而不逾矩"，这时人欲已融入进天理中（灭人欲，不是无欲，而是理欲合一），无意、无必、无固、无我（从"毋"变成"无"），则无论做什么都不会偏离天道了。

道家也同样注重人与自然的关系。老庄对自然的崇尚，落实到人的社会生活和日常生活层面，那就是提倡人的消费、享受要与自然相呼应，符合自然发展规律，以求得人与自然、社会与生态的平衡。

老子从"知止不殆"的适度增长观出发，要求我们要"去甚、去奢、去泰"，即是说要顺应自然，常保尊贵的地位，去掉那些极端的奢侈、过头的行为，在片面追求经济指数的几何递增的同时，要注意环境容量的极限。"祸莫大于不知足，咎莫大于欲得，故知足之足，常足矣。"

在老子看来，自然是人类的母亲，人类生存于自然之中就应该遵从自然的规律，返璞归真地回到慈母的怀抱中，才能实现人与自然的和睦相处，创造出一个更加枝繁叶茂、清泉潺潺、鸟语花香的美的世界。"天下有始，以为天下母。既得其母，以知其子；既知其子，复守其母，没身不殆。塞其兑，闭其门，终身不勤。开其兑，济其事，终身不救。见小曰明，守柔曰强。用其光，复归其明，无遗身殃；是为袭常。"

2. 新中国的生态之行

1956 年，毛泽东同志发出了"绿化祖国""实现大地园林化"的号召。他强调："要使我们祖国的河山全部绿化起来，要达到园林化，到处都很美丽，自然面貌要改变过来。""在十二年内，基本上消灭荒地荒山，在一切宅旁、村旁、路旁、水旁，以及荒地上，即在一切可能的地方，均要按规格种起树来，实行绿化。"他曾请基层林业劳模石玉殿到中南海家中做客"御宴"，并两次安排人把 500 棵苹果树苗和 40 根烟台梨枝条送到河南林县石玉殿家中。

党的十一届三中全会以后，邓小平同志以前所未有的政治高度结合改革开放所取得的经验，提出了生态资源可持续发展的主张。他指出："植树造林，绿化祖国，是建设社会主义、造福子孙后代的伟大事业，要坚持二十年，坚持一百年，坚持一千年，要一代一代永远干下去。"1981 年 12 月 13 日五届全国人大四次会议审议通过了《关于开展全民义务植树运动的决议》。1982 年的植树节，邓小平同志身体力行，在北京玉泉山上种下了义务植树运动的第一棵树。

江泽民同志在党的十四届五中全会上首次提出:"在现代化建设中,必须把实现可持续发展作为一个重大战略。"他亲力亲为,天然林资源保护、退耕还林、京津风沙源治理等六大林业重点工程全面展开。江泽民同志发出"再造秀美山川"的号召,把社会主义生态文明建设推到了一个新阶段。党的十四大指出:"要增强全民族的环境意识,保护和合理利用土地、矿藏、森林、水等自然资源,努力改善生态环境。"

"如果不能有效保护生态环境,不仅无法实现经济社会可持续发展,人民群众也无法喝上干净的水,呼吸上清洁的空气,吃上放心的食物,由此必然引发严重的社会问题",胡锦涛同志的铿锵之辞,阐明了建设生态文明的重要意义。

党的十六大之后,以胡锦涛同志为总书记的党中央高度重视生态环境问题,并以特有的政治责任感努力探索适合我国国情的生态文明之路。"可持续发展能力不断增强,生态环境得到改善,资源利用效率显著提高,促进人与自然的和谐,推动整个社会走上生产发展、生活富裕、生态良好的文明发展道路。"这是首次明确地将"生态文明"列入中国特色社会主义事业的重要组成部分,为我国更好进行生态文明建设提供了坚定的政治保障。"建设生态文明"第一次写入党的全国代表大会政治报告,"推进两型社会",成为加快转变经济发展方式的重要着力点,全面、协调、可持续的发展思路全面确立;中国成为世界上投资清洁能源力度最大的国家,单位国内生产总值能耗下降12.9%;绿色GDP的政绩考核在这片土地如火如荼,生态补偿的体制机制在华夏民族稳步推进。

从此,"生态文明"构成了定位中国发展的重要维度之一。"要全面落实科学发展观和正确政绩观,坚持环境保护基本国策,大力推动循环经济发展,积极倡导生态文明,构建资源节约型和环境友好型社会。"

中国建设生态文明所架起的坐标,早已超越中华大地,在全球视野中树起风向标,在历史长河里对既有文明进行客观审视。这是一次对西方国家的发展悖论的重大突破,这是一次对中国社会的何去何从的方向确立,这是一次对人民群众的一枝一叶的亲切关情。

应对全球气候变化。2007年,在发展中国家中,中国第一个制定并实施了应对气候变化的国家方案。"十一五"期间，中国减少二氧化碳排放 14.6 亿吨，赢得国际社会广泛赞誉。四十年如一日在荒山上植树播绿，把一座座荒山变成绿色林地乃至绿色立体生态园，成为保护环境的典型。

建设资源节约型社会靠的是中国共产党提出的"作为国家发展的根本指针"，来自于加快转变经济发展方式的战略高度，来自于全面协调可持续发展的理论厚度，来自于淘汰落后产能、升级产业结构的实践深度。

"生态文明建设"战略思想的伟大力量，驱动着中国巨轮驶向一个光荣的梦想旅程。

寻梦，生态文明的中国探索，中国正在生态文明的探索之路上阔步向前。

推进资源集约利用。实行"最严格的耕地保护制度""最严格的节约用地制度""最严格的水资源管理制度"，坚守 18 亿亩耕地红线不动摇……

坚持统筹保障发展保护资源不放松，在支撑现代化建设快速发展的同时，红线没有动，秩序没有乱。

我们坚定环境友好型社会的发展方向，因我们勇于担当、敢于攻坚、善于创新的积极探索，因我们努力探索一条不牺牲环境也照样发展的独特"中国道路"，让这段时间有了绚烂的色彩。

我们在大地上涂抹绿色。10 年来，全国森林面积由 23.9 亿亩增加到 31.2 亿亩，森林覆盖率由 16.55% 提高到 21.63%；全国沙化土地面积逐年缩减，实现了从"沙进人退"向"人进沙退"的历史性转变。在全球森林资源总体减少的情况下，我国成为森林资源增长最快的国家和生态治理成效最为明显的国家。能走上建设环境友好型社会的"中国道路"，靠的是我们党领导下"其他任何制度所不能比拟"的效率。这效率，体现在"将节能减排作为约束性指标"的制度安排中；这效率，体现在"让人民群众喝上干净的水，呼吸上清洁的空气，吃上放心的食物"的制度导向中；这效率，体现在"全面推进集体林权制度改革，27 亿多亩林地确权到户"的制度创新中；社会主义制度的优越性，引领亿万人民合唱一曲动人的绿色赞歌。

我们坚守人与自然相和谐的生活理念，因我们以人为本、以民为先、以和为贵的人文关怀，因我们这一则全民参与、上下同欲的宝贵"中国经验"，让和发展的基础和前提，人类则可以通过社会实践活动有目的地利用自然、改造自然，但人类归根结底是自然的一部分，在开发自然、利用自然的过程中，人类不能凌驾于自然之上，人类的行为方式必须符合自然规律。人与自然是相互依存、相互联系的整体，对自然界不能只讲索取不讲投入、只讲利用不讲建设。保护自然环境就是保护人类，建设生态文明就是造福人类。

从历史上看，生态兴则文明兴，生态衰则文明衰。古今中外，这方面的事例众多。恩格斯在《自然辩证法》一书中就深刻指出："我们不要过分陶醉于我们人类对自然界的胜利。对于每一次这样的胜利，自然界都对我们进行报复。""美索不达米亚、希腊、小亚细亚以及其他各地的居民，为了得到耕地，毁灭了森林，但是他们做梦也想不到，这些地方今天竟因此而成为不毛之地。"历史的教训，值得深思！

中华文明传承五千多年，积淀了丰富的生态智慧。"天人合一""道法自然"的哲理思想，"劝君莫打三春鸟，儿在巢中望母归"的经典诗句，"一粥一饭，当思来处不易；半丝半缕，恒念物力维艰"的治家格言，这些质朴睿智的自然观，至今仍给人以深刻的警示和启迪。

我们党一贯高度重视生态文明建设。20世纪80年代初，我们就把保护环境作为基本国策。进入21世纪，又把节约资源作为基本国策。多年来，我们大力推进生态环境保护，取得了显著成绩。但是经过30多年的快速发展，积累下来的生态环境问题日益显现，进入高发频发阶段。

突出环境问题对人民群众生产生活、身体健康带来严重影响和损害，社会反映强烈。随着社会发展和人民生活水平不断提高，人民群众对干净的水、清新的空气、安全的食品、优美的环境等的要求越来越高，生态环境在群众生活幸福指数中的地位不断凸显，环境问题日益成为重要的民生问题。正像有人所说的，老百姓过去"盼温饱"，现在"盼环保"；过去"求生存"，现在"求生态"。

习近平总书记指出："良好生态环境是最公平的公共产品，是最普惠的民生福祉。"保护生态环境，关系最广大人民的根本利益，关系中华民族发展的长远利益，是功在当代、利在千秋的事业，在这个问题上，我们没有别的选择。

必须清醒认识保护生态环境、治理环境污染的紧迫性和艰巨性，清醒认识加强生态文明建设的重要性和必要性，以对人民群众、对子孙后代高度负责的态度，加大力度，攻坚克难，全面推进生态文明建设，实现中华民族永续发展。

2. 保护生态环境就是保护生产力

2013 年 5 月，习近平总书记在中央政治局第六次集体学习时指出："要正确处理好经济发展同生态环境保护的关系，牢固树立保护生态环境就是保护生产力、改善生态环境就是发展生产力的理念。"这一重要论述，深刻阐明了生态环境与生产力之间的关系，是对生产力理论的重大发展，饱含尊重自然、谋求人与自然和谐发展的价值理念和发展理念。

改革开放以来，我国坚持以经济建设为中心，推动经济快速发展起来，在这个过程中，我们强调可持续发展，重视加强节能减排、环境保护工作。但也有一些地方、一些领域没有处理好经济发展同生态环境保护的关系，以无节制消耗资源、破坏环境为代价换取经济发展，导致能源资源、生态环境问题越来越突出。比如，能源资源约束强化，石油等重要资源的对外依存度快速上升；耕地逼近 18 亿亩红线，水土流失、土地沙化、草原退化情况严重；一些地区由于盲目开发、过度开发、无序开发，已经接近或超过资源环境承载能力的极限；温室气体排放总量大、增速快；等等。这种状况不改变，能源资源将难以支撑、生态环境将不堪重负，反过来必然对经济可持续发展带来严重影响，我国发展的空间和后劲将越来越小。习近平总书记指出："我们在生态环境方面欠账太多了，如果不从现在起就把这项工作紧紧抓起来，将来会付出更大的代价。"

环顾世界，许多国家，包括一些发达国家，都经历了"先污染后治理"的过程，在发展中把生态环境破坏了，再补回去，成本比当初创造的财富还要多。特别是有些地方，像重金属污染区，水被污染了，土壤被污染了，到了积重难返的地步，至今没有恢复。英国是最早开始走上工业化道路的国家，伦敦在很长一段时期是著名的"雾都"。1930 年，比利时爆发了世人瞩目的马斯河谷烟雾事件。20 世纪 40 年代的光化学烟雾事件使美国洛杉矶"闻名世界"。西方传统工业化的迅猛发展在创造巨大物质财富的同时，也付出了十分沉重的生态环境代价，深刻理解。

　　保护生态环境已成为全球共识，但把生态文明建设作为一个政党特别是执政党的行动纲领，中国共产党是第一个。中国道路，一头连接着国情，一头连接着理想。人们对道路的探索和选择，它承载着过去，也标示着未来。中国道路反映了中国人现实的共同利益，也凝聚着中国人的共同理想和目标。中国梦归根到底是人民的梦，必须紧紧依靠人民来实现，必须不断为人民造福。

　　绿水青山梦，汇聚中国力量；绿水青山梦，弘扬中国精神；绿水青山梦，是中华民族对人与自然和谐的追求，对美好家园的向往。

　　我们寻找到绿水青山梦的中国道路，那是我们建设生态文明、创造美好家园的共同向往，我们凝聚中国力量，我们弘扬中国精神，我们在建设，我们在行动……

杭州西溪湿地自然风光

第二章
追梦：建设美丽中国在行动

　　人与自然的关系是人类社会最基本的关系。自然界是人类社会产生、存在和发展的基础和前提，人类则可以通过社会实践活动有目的地利用自然、改造自然，但人类归根结底是自然的一部分，在开发自然、利用自然的过程中，人类不能凌驾于自然之上，人类的行为方式必须符合自然规律。人与自然是相互依存、相互联系的整体，对自然界不能只讲索取不讲投入、只讲利用不讲建设。保护自然环境就是保护人类，建设生态文明就是造福人类。

——摘自中共中央宣传部《习近平总书记系列重要讲话读本》

　　作为"中国梦"的绿色底蕴，"美丽中国"的愿景随生态文明的理念应运而生。顺应人民群众对干净饮水、新鲜空气、卫生食品、优美宜居的新期待，党的十八大报告提出，把生态文明建设放在突出地位，融入经济建设、政治建设、文化建设、社会建设各方面和全过程，努力建设美丽中国，实现中华民族永续发展。

北京 CBD 全景

　　建设美丽中国是13亿人民的共同心愿，是我们这一代人的历史责任。持续30多年的高速发展，让中国人跨越短缺经济时代，迎来了物质比较丰富的新生活。然而土壤污染恶化、江河水质下降、生态系统退化，这些发达国家在一二百年间逐步显露的生态环境问题，却在我国快速发展的工业化中期集中凸显，成为全面建成小康社会重大制约因素之一。构建天蓝地绿水净的美丽家园，过上更有质量的生活，必须开拓环境保护的新路径，建树生态安全的新思路，实现资源节约、环境友好的绿色发展。

　　近两年来，我们在应对"公敌"——"雾霾之战"中，中央与地方联动，及时发布雾霾预警，通报大气环境质量状况，党政机关带头停驶公车，重点企业限产限排……纵观整个中国，无论是东部沿海省份，还是中西部地区，都在自觉向绿色发展转型，既补工业文明的课，又走生态文明的路，体现了全国人民的共同参与，彰显出建设美丽中国的实干精神。

　　我们必须珍爱现存的山水林田湖等生态资源，精心呵护多彩森林，珍爱醉美湿地，建设美丽乡村，打造森林城市，实施生态工程，发展绿色经济，自觉做好节能降耗的"减法"，更要做到生态保护和修复的"加法"，探索生态经济的"乘法"。

　　珍爱绿水青山，修复生态系统，建设美丽中国，是一个积极主动进取，察势、蓄势、扬势的追梦过程，是一个创造发展条件、积聚发展力量，把再造生态环境优势转化为进一步推动经济社会持续健康发展的过程。对当代生态建设者特别是务林人来说，现阶段要加强山水生态建设，让生态系统得以恢复，由失衡走向平衡，进入良性循环，着眼长远，增强耕地、湿地、森林等自然生态系统的修复能力，提高生态服务功能。让生态系统的核心质量得到持续改善。

　　行走中华大地，满眼绿水青山。

张家界风光

第一节
呵护多彩森林

　　"森林是大地最好的装饰"，这是德国林学家科尼西1849年在他的《森林抚育》一书中说的。"无山不绿、有水皆清、四时花香、万壑鸟鸣，替河山装成锦绣，把国土绘成丹青，新中国的林人，同时也是新中国的艺人。"这是新中国第一任林业部部长梁希的名言。

　　中国地域辽阔，自然地理环境复杂多样，孕育了生物种类繁多、植被类型多样的森林资源。中国森林面积2.08亿公顷，森林覆盖率21.63%，森林蓄积151.37亿立方米。森林面积居世界第5位，森林蓄积居世界第6位，人工林面积居世界首位。2014年2月25日，在国务院新闻办公室举行的第八次全国森林资源清查结果等情况新闻发布会上，时任国家林业局局长赵树丛说，第七次和第八次两次清查间隔内，我国森林资源呈现以下主要特点：一是森林总量持续增加，二是森林质量不断提高，三是天然林持续稳步增加，四是人工林快速发展。清查结果表明：我国森林资源进入了数量增长、质量提升的稳步发展时期。这充分表明，党中央、国务院确定的林业发展和生态建设一系列重大战略决策，实施的一系列重点林业生态工程，取得了显著成效。然而，我国仍然是一个缺林少绿、生态脆弱的国家，森林覆盖率远低于全球31%的平均水平，人均森林面积仅为世界人均水平的1/4，人均森林蓄积只有世界人均水平的1/7，森林资源总量相对不足、质量不高、分布不均的状况仍未得到根本改变。人民群众期盼山更绿、水更清、环境更宜居，造林绿化、改善生态任重而道远。

　　为有效保护和可持续利用森林及其景观功能，1982年我国林业部门开始建立第一处森林公园——湖南省张家界国家森林公园。经过30多年的努力，到2014年底，全国共建立森林公园3000处左右，其中，国家级森林公园超过800处，囊括了我国各类森林景观中的精华。

聚焦 1

阿尔山国家森林公园：
火山熔岩上的森林

2014年1月26日，习近平总书记在内蒙古林区考察，听到阿尔山林区已全面停止采伐，正处在艰难转型期时，他动情地说："历史有它的阶段性，当时砍木头是为国家做贡献，现在种树看林子也是为国家做贡献"。

阿尔山，全称"哈伦·阿尔山"，意为"热的圣泉"，位于大兴安岭山脉西南麓，与呼伦贝尔、锡林郭勒、科尔沁草原接壤。发育在火山熔岩地貌上的阿尔山，不仅蕴含着丰富而独特的地质奇观，拥有数量众多的火山锥、高位火山口、火山口湖、火山丘、熔岩堰塞湖、熔岩盆地、石塘林、"龟背岩"等类型齐全的熔岩地貌景观，记录着火山喷发时的壮丽景象。其中，熔岩盆地面积200平方千米，为亚洲第一、世界第二；火山锥中最大的特尔美峰，是大兴安岭第一高峰，也是亚洲最高的火山锥；阿尔山天池海拔1332.3米，面积13.5万平方米，按海拔高度是位列全国第三的高位火山口湖。阿尔山还有多处矿（温）泉群，水温从0～48℃不等，堪称火山地质博物馆。而且，阿尔山群山逶迤、林海浩瀚，植被类型属寒温带针阔混交林，森林覆盖率在80%以上，

阿尔山天池

动植物种类丰富，主要植物种类 522 种、动物种类 90 多种。樟子松、兴安落叶松、白桦、偃松、兴安杜鹃以及众多的野生花卉，在火山熔岩上经过长期演化，形成了奇特的森林景观。

2000 年 2 月，经国家林业局批准建立了阿尔山国家森林公园，规划面积 103149 公顷。阿尔山人从此放下了斧锯，大力发展生态旅游，把"砍树"变为"看树""赏树"，走上了一条可持续发展之路，成为著名的旅游目的地。

1	2
3	4

1. 阿尔山不冻河
2. 阿尔山银江沟温泉
3. 阿尔山狍子
4. 阿尔山红毛柳

聚焦 2

张家界国家森林公园：
我国第一个国家森林公园

张家界地处湘西北边陲、澧水之源，武陵山脉横亘其中，这里奇峰连绵、怪石高耸、洞壑幽深、流泉飞坠。1982 年 9 月 25 日，国务院委托国家计委批准在此成立了我国第一个国家森林公园，总面积 4810 万平方米。国画大师吴冠中先生曾在游记散文《养在深闺人未识——张家界是一颗风景明珠》中写道："为了探求绘画之美，我辛辛苦苦踏过不少名山，觉得雁荡、武夷、青城、石林……都比不上这无名的张家界美。"

张家界森林公园以中低山地貌为主，最具特色的是石英砂岩峰林地貌，集雄、奇、秀、险、幽于一身，以峰称奇、以谷显幽、以林见秀。其间有奇峰 3000 多座，这些石峰如人如兽、如器如物，形象逼真，气势壮观；峰间峡谷溪流潺潺，浓荫蔽日，有"奇峰三千，秀水八百"之美誉。公园里森林植物和野生动物资源极为丰富，核心景区森林覆盖率达 98% 以上，是一座巨大的生物宝库和天然氧吧，被称为"自然博物馆和天然植物园"。园内仅木本植物就有 93 科 517 种，分布有"植物活化石"之称的珙桐（又名"中国鸽子花"）、钟萼木、银杏、南方红豆杉等大量珍稀树种，以及 30 余种国家一、二级保护动物。草木禽兽与

张家界金鞭溪

1	2
	3

1. 张家界金鞭岩
2. 张家界鹞子寨
3. 张家界林峰

奇山异水同生共荣，形成完美的自然生态系统。石英砂岩峰林被绿团锦簇的天然林所包裹，岩峰下的溪谷间，也生长着连绵成片，翠绿静谧的林木，武陵松或傲立于峰峦之巅，或扎根于石峰、断崖之间，或凌空生长在悬崖峭壁之上，成为石英砂岩峰林上的独特奇观，成就了张家界的绝世美景。

公园现已开放五大景区，以黄石寨之雄、鹞子寨之险、袁家界之奇、金鞭溪之幽、琵琶溪之秀、砂刀沟之野而闻名。建园30多年来，累计接待游客已突破3000万人次，实现旅游总收入近400亿元，解决社会就业近20万人，为张家界的经济社会发展做出了巨大贡献。

聚焦 3

塞罕坝国家森林公园：
人工缔造的森林奇迹

塞罕坝国家森林公园地处内蒙古高原边缘及坝上山地，总面积933平方千米。这里的美，美在有大片的森林、草原，有不时会相逢的湖泊、河流与湿地，有蓝的天空、清新的空气和明亮的星空，四季景色鲜明、优美如画，备受摄影爱好者的青睐，被誉为"距北京最近最美的地方"。

曾经的塞罕坝，被称作"千里松林"，水草丰沛、森林茂密、禽兽繁集，属清王朝的皇家猎苑——木兰围场的一部分。清同治二年（1863年）开围放垦后，森林开始遭到大量砍伐，后又遭日本侵略者掠夺和连年山火，到新中国成立初期，原始森林破坏殆尽，退化为草原荒丘，呈现"飞鸟无栖树，黄沙遮天日"的景象，更糟糕的是，作为滦河、辽河的水源地，森林的消失意味着水源的枯竭。新中国成立后，建立了河北省塞罕坝机械林场，经过林场工人几十年的辛苦劳

塞罕坝国家森林公园

1	2	3
4	5	

1. 塞罕坝林区
2. 塞罕坝冬景
3. 塞罕坝秋色
4. 塞罕坝林地
5. 塞罕坝草甸

作，建成了世界上面积最大的集中连片的人工林，这片以华北落叶松和樟子松为主的人工针叶林，据说如果按1米的株距排开，可以绕地球赤道12圈。正是由于森林的再现，使得这百万亩的林海阻隔了浑善达克沙地的南侵，涵养了滦河、辽河水源，使其成为了坝上最美丽的风景，塞罕坝由此成为了国家级森林公园。

除丰富的景观资源和优越的生态环境外，塞罕坝更因坚忍不拔的"塞罕坝精神"而为人熟知。自1962年林业部批准建立塞罕坝机械林场以来，林场两代务林人发扬"勤俭建场、艰苦创业、科学求实、无私奉献"的塞罕坝精神，在河北省纬度最高、气温最低、无霜期最短、立地条件较差的坝上高原，建成了华北地区人工林规模最大、长势最好、生态环境最优、经济效益较高的百万亩林海，成为"人类与自然相协调的伟大创举"。2002年7月，被国家林业局授予"再造秀美山川示范教育基地"。

聚焦 4

那拉提国家森林公园：
天山深处的风景长廊

　　相传成吉思汗西征时，一支军队进入天山深处向伊犁集结，时当仲夏，山路却风雪弥漫，饥饿和寒冷使这支军队疲惫不堪。岂料翻过山岭，眼前竟是一马平川，宛如锦缎的莽莽草原上，艳阳高照，繁花怒放，清泉密布，流水潺潺，犹如进入了另一个世界，将士们顿感心旷神怡，不禁齐呼"那拉提、那拉提"。"那拉提"，意为"最先见到太阳的地方"。

　　巍巍天山环抱的巩乃斯河谷，是世界四大高山河谷草原之一。位于天山支脉那拉提山北麓的那拉提国家森林公园，便是这片河谷中最为耀眼的明珠，公园总面积 6025 万平方米，地势南高北低，海拔 1500～3000 米。公园三面环山，哈萨克牧民的母亲河——巩乃斯河蜿蜒漫长、水质清澈，缓缓流经公园。可谓是"三面青山列翠屏，腰围玉带河纵横"。高山牧场上点缀着雪岭云杉，高大苍劲的密叶杨、挺拔秀丽的白桦和小叶白蜡、婀娜多姿的河柳占据了河谷次生林的上层空间；沙棘、山楂、红柳等矮生树木密相环生，占据了河谷次生林的中层空间；其下层又绒生着齐腰深的各色花草，单子叶的禾本科植物和双子叶植物。远处的雪山、近处的河谷、森林、草原、溪流、花海等各种自然要素交相辉映，如诗如画，向世人展示了天山深处一道宛如立体画卷般的风景长廊。除拥有旖旎的自然风光外，河谷悠久的历史和源远流长的民族文化，为那拉提草原增添了许多令人神往的人文风情。

　　如今的那拉提国家森林公园，以其独特的自然美景、悠久的历史文化和浓郁的民族风情，吸引着越来越多的远方客人。

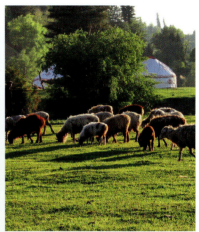

1	2	3
4	5	

1. 那拉提花海
2. 那拉提森林
3. 那拉提牛羊成群
4. 那拉提雾景
5. 那拉提秋色

聚焦 5

千岛湖国家森林公园：
天下第一秀水

千岛湖龙山

"西子三千个，群山已失高，峰峦成岛屿，平地卷波涛。"著名诗人郭沫若先生这样赞赏千岛湖。千岛湖国家森林公园地处浙江省淳安县，为修建新安江水电站和大坝而形成，因公园内分布着1078个大大小小的岛屿而得名，总面积950平方千米，以山青、水秀、洞奇、石怪的湖泊岛屿景观而享誉世界。

千岛碧水画中游，山水美景离不了优质的森林。千岛湖国家森林公园自1986年批准建立以来，始终坚持封山育林、天然更新和人工培育森林、提质改造风景林，改造和培育了近2333万平方米森林景观，森林覆盖率由1983年的59.8%（不含水面）提高到现在的94.11%，林木蓄积量由111.8万立方米增加到275.2万立方米。繁茂的森林涵养了千岛湖优质的水源，湖区573平方千米的湖水晶莹透澈，最高能见度达12米，是2011年环境保护部监测的10个主要水库中唯一一个Ⅰ类水质的水库，被新华社原社长穆青赞誉为"天下第一秀水"。鸟瞰千岛湖，像一只展翅的金凤。1000多个岛屿或散落湖中，若块块翡翠，伶仃独居；或聚而列成群岛，似

1	2
3	4

1. 千岛湖黄山尖观岛
2. 千岛湖森林氧吧
3. 千岛湖秋色
4. 千岛湖燕山春韵

堆堆碧玉，罗列精致，美不胜收。

自 1982 年对外开放以来，千岛湖秉承"滚动发展"的原则，通过不断完善基础和旅游服务设施，实现旅游产业的跨越式发展。年接待游客量从初始的 3500 人次增长至 2013 年的 482 万人次，旅游收入 2013 年已达 58.28 亿元，位居全国国家级森林公园之首，成为杭州—千岛湖—黄山名城、名水、名山黄金旅游线上的一颗灿烂的明珠。

聚焦 *6*

百里杜鹃国家森林公园:
美丽的天然花园

百里杜鹃国家森林公园位于贵州省西北部黔西、大方两县交界处,总面积106.66 平方千米,是全国为数不多的以主体景观植物种类命名的森林公园。公园地处云贵高原低纬度高海拔地区,平均海拔 1500 米,最高海拔 2026 米,具有典型的中亚热带常绿阔叶林森林植被,分布有杜鹃、光叶珙桐、红豆杉、香果树等植物 864 种,栖息着云豹、林麝、穿山甲等动物 274 种。

杜鹃种群处于公园植物群落的优势种群地位,为天然次生矮林。整个杜鹃林带延绵 50 余千米,宽 1 ~ 3 千米,呈半月形分布,是迄今为止中国已查明的面积最大的天然杜鹃林带。每年 3 ~ 4 月底为最佳观赏节,方圆百里的各色杜鹃花相继绽放,漫山遍野,色彩缤纷,千姿百态。大杜鹃树枝苍劲,小杜鹃俏丽多姿,各色花朵红的如红缨、银白的似粉球、鹅黄的如团扇、淡紫的似玉盘,

百里杜鹃花海

1	2	
3	4	5

1. 百里杜鹃公园大方普底数花峰
2. 百里杜鹃独木成林的千年银杏
3. 百里杜鹃彝族青年男女在杜鹃花下对歌
4. 百里杜鹃马缨杜鹃
5. 百里杜鹃大白花杜鹃

有的一个花序有 20 余朵花，有的一株树上多达上万朵花，有的花树高的有六七米，矮的仅一米不到，公园内山岭起伏、花山绵延，一山山红杜鹃，艳如云霞；一坡坡白杜鹃，洁白如雪。美不胜收，令人陶醉，被誉为"高原上的天然大花园"。

公园除天然杜鹃林外，还有千年杜鹃花王、独木成林的千年银杏、百里杜鹃湖等景点，以及彝族火把节、苗族跳花节、布依族对歌节等浓郁的民族风情。

近年来，公园围绕森林资源建成了普底景区、金坡景区、夏木景区、杜鹃花王等精品景区，开发了百里杜鹃大草原、百里杜鹃湖、米底河、大硝洞等多个景点，形成花、山、湖、草原、洞等旅游元素的多样化。2013 年共接待海内外游客 404 万人次，旅游综合收入达 20.21 亿元，成为贵州旅游的一张新名片。

1		
2	3	
4	5	

1. 尖峰岭云海
2. 尖峰岭黄昏景色
3. 尖峰岭天池
4. 尖峰岭热带雨林
5. 尖峰岭雨林溪流

聚焦 7

尖峰岭国家森林公园：
神秘的原始热带雨林

2013 年 4 月，习近平总书记在海南考察时曾指出"青山绿水、碧海蓝天是建设国际旅游岛的最大本钱，必须倍加珍爱、精心呵护"，并寄语海南"为全国生态文明建设当个表率，为子孙后代留下可持续发展的'绿色银行'"。

在海南国际旅游岛的西南部，在浩瀚的北部湾之畔，有一片秀美的群山，跃出海平面 1400 多米，那就是尖峰岭国家森林公园。公园总面积 447 平方千米，在这里，拥有我国整体面积最大、保持最完整、生物多样性指数最高的原始热带雨林，是全球 40 个具有世界意义的生态单元之一，享有"天涯第一园"和"热岛凉山"之美誉。

尖峰岭是热带雨林生态系统的典型代表和地球热带北缘重要的生物种源基因库。在这片神秘的热带雨林中，千年古树、巨树、奇树、奇花异草以及"空中花园"、绞杀、板根等雨林特有的生态现象随处可见；溪涧流水、林海涛声和鸟鸣蝶舞让人体会到雨林的古朴清幽；数不清的奇异植物或互相依存，或互相绞杀；附生于古藤上的"空中兰花"，似林中仙子万般风姿翩然突现；云豹、巨蜥、孔雀雉等珍稀动物在林中闪现，为寂静的山林增添活力；空中不断地有雨滴落下，其实那是热带雨林特有的叶露，正因此它才得了个"雨"字。大自然的鬼斧神工，造就了无数绮丽的景点。尖峰岭主峰、天池、鸣凤谷、雨林谷、蝴蝶谷、三叠泉瀑布等景点天造地设，各具神韵。

1993 年 1 月 1 日，尖峰岭在全国率先停止天然林采伐，通过建设森林公园的方式实现森工转向转产，并作为海南开发生态旅游的重点区域。如今，伴随着海南国际旅游岛建设上升为国家战略，山海相连的尖峰岭正准备利用 5 ~ 8 年时间，打造世界顶级生态旅游区，届时，尖峰岭国家森林公园将成为海南国际旅游岛建设中的一颗绿色璀璨明珠。

聚焦 8

合肥滨湖国家森林公园：
万亩城市水网森林

　　"气吞吴楚千帆落，影动星河五夜来。"在水天一色、烟波浩渺的巢湖北岸、合肥市主城区东南，镶嵌着一颗璀璨的绿色明珠——合肥滨湖国家森林公园。这里傍水依城，上风上水，是安徽省内唯一的万亩城市水网森林，也是名副其实的"城市之肺"和"城市之肾"。2014年4月，被国家林业局批准设立为国家森林公园，同时也是我国首个退耕还林经生态修复建成的国家森林公园。

　　这里自古水草丰茂、林地丛生，清朝百姓筑圩防水、围湖造田，导致生态环境日渐破坏。2002年，包河区政府通过大力实施生态修复工程，秉持"自然生态"理念，退耕还林，恢复湿地，疏浚河道，形成了河道纵横、沟塘交织、林水相间的独特森林景观。

合肥滨湖城市水网森林

　　公园总面积1072万平方米，其中森林面积799万平方米，水域面积263万平方米。树种丰富，林木广茂，植物种类从10多种增加到281种，形成多层次的植物群落系统。森林上层以高大的杨树为主，辅以水杉、女贞、湿地松等，中层以次生的香樟、桑树、乌桕等为主，林下由棕榈、木芙蓉、藤蔓等植被组成，公园拥有国家一

1	2	3
4	5	

1. 合肥滨湖河漫滩
2. 合肥滨湖秋色
3. 合肥滨湖鹭鸶
4. 合肥滨湖夏景
5. 合肥滨湖黄鼬

级保护植物水杉、珙桐、银杏等珍贵树种，以及再力花、德国鸢尾、荷花等水生植物，立体布局，错落有致，使公园春夏秋冬四季皆景，韵味无穷。茂密的森林，美丽的湿地成了动物们的乐园，公园内野生动物品种繁多，松鼠、野兔、刺猬等在林间跳跃嬉戏，大雁、喜鹊、鹭鸶等鸟类在枝头飞翔欢唱。公园内物种丰富，鸟语花香，水清林美，呈现出"落霞与孤鹜齐飞，秋水共长天一色"的大美意境。园内现已建成自然生态和历史人文两大主题游览区，城、湖、岛、山、河、桥、路、林八种景观交相辉映，绘就了一幅巢湖生态文明建设的壮美画卷。

自开园以来，年接待游客达 260 多万人次，接待各地的参观考察团近千批次，公园生态建设成效受到广泛关注，正成为城市生态修复的新范例。集城市森林、水网森林、文化森林于一体的合肥滨湖森林公园，正成为市民畅享绿色生活的新空间，成为美丽合肥建设的新亮点。

聚焦 9

雪乡国家森林公园：
冰雪童话世界

雪，大自然的处子，弹奏着人类心灵的白色精灵。每当瑞雪飘满大地，童话世界便降临人间。中国冰雪看龙江，龙江圣雪在雪乡。雪乡地处黑龙江省长白山脉张广才岭与老爷岭的交汇处，南北长 26.75 千米，东西宽 18 千米，总面积 1860 平方千米。2001 年 11 月，被国家林业局批准设立为国家森林公园。

因贝加尔湖冷空气与日本海暖湿气流在此频繁交汇，以及山高林密的小气候影响，造就了这里"夏无三日晴，冬雪漫林间"的奇特小气候，每年十月开始降雪至次年四月，雪期长达半年，积雪厚度可达 2 米左右，雪量堪称中国之最，且雪质好、黏度高，故有"中国雪乡"的美誉。北国风光，千里冰封，万里雪飘，是对雪乡最好的诠释。

公园森林覆盖率达 93.7%，主要树种以白松为主，有"白松故乡"之称，

雪乡风光

1	2
3	4

1. 雪乡小屋
2. 雪乡雾海
3. 雪乡层林渐染
4. 雪乡漂流

另外还生长着黄波罗、红松、紫椴等名贵树种。平均树龄 400 年的"红松原始林"是东北地区罕见的原始森林。松涛轰鸣，雄浑苍郁，林内栖息 40 多种野生动物和近百种飞禽。未被污染的牡丹江最大的支流——海浪河，河水清澈见底，是漂流和垂钓的好去处。被称为黑龙江三巨臂的"老秃顶子山""大秃顶子山""平顶山"都位于大海林风景区境内，海拔均在 1670 米以上，其中老秃顶子山雄居群山之冠，海拔 1686.9 米，山顶终年积雪不化，遍生高山岳松和偃松，是东北第二高峰，黑龙江第一高峰。

园内现建设有中国雪乡、原始森林、云山寺、海浪山庄、红岩风景园 5 个景区和 22 处景点，森森林海、莽莽雪原，自然、古朴、粗犷、豪放的雪乡国家森林公园每年吸引了数十万游客。随着景区旅游项目的日益丰富，旅游人数和收入每年平均以 20% ~ 30% 的速度递增。2013 年雪乡年旅游人数已达 32 万人次，年旅游收入突破 3 亿元，旅游产业实现了跨越式发展。

1	2
3	4

1. 海螺沟二营地温泉
2. 海螺沟云海冰川
3. 海螺沟服务设置
4. 海螺沟大冰瀑布

聚焦 10

海螺沟国家森林公园：
神山下的绿海冰川

海螺沟国家森林公园位于四川省甘孜藏族自治州泸定县内，是世界上仅存的低海拔冰川之一，总面积 185.98 平方千米。"蜀山之王"贡嘎山是全球同纬度现代冰川发育最为成熟的地区，以世界同纬度海拔最低、活动性最强、冰川地形地貌最完整而闻名遐迩。贡嘎山主峰脊线以东为陡峻的高山峡谷，地势起伏明显，水平距离不足 30 千米，高差达 6500 余米，形成举世罕见的大峡谷。海螺沟位于贡嘎山主峰区东坡的冰蚀河谷，现代冰川与原始森林共生，雪峰、草坡、湖泊、温泉、珍稀野生动植物荟萃，构成了一种博大幽深、宏伟壮观的原始生态自然美景。

海螺沟冰川全长 30.7 千米，从海拔 7500 米处一直下伸到海拔 2850 米的地方。人站在冰川上观望两岸岩崖，只见峰岭上密密实实的苍松翠林，山花绿草环抱，如同给海螺沟披上了绿色的盛装，形成举世罕见的冰川与原始森林共生的自然景观，被誉为"绿海冰川"。公园内 7 个垂直气候带和植被带，动植物群落丰富，有名字可考的植物和野生动物分别达 4880 余种和 400 余种，分布有珙桐、水青树、大王杜鹃等大量珍稀树种和牛羚、大熊猫、金丝猴、白唇鹿等国家一级保护动物 11 种，被誉为"第四季冰川时期动植物的避难所"。此外，公园还拥有最神奇的雪域温泉——贡嘎神泉、国内最大规模的红石滩、最独特的康巴风情，以及磨西古镇、金花寺、观音庙等一批人文景点。

海螺沟国家森林公园以其古老而神秘的原始森林，种类繁多的"动物王国"，名扬中外的"海螺杜鹃"，多姿多彩的"瀑布、温泉"，泼墨山下的"神话世界"，心醉神迷的"日照金山"，神秘莫测的"绿海冰川"，凌空垂挂的"大冰瀑布"等景色成为中国乃至世界最为壮丽的风景之一。

辽宁盘锦湿地（宋树兴 摄）

第二节
珍爱魅力湿地

　　湿地是水资源的"贮存库"和"净化器"，是"生物超市"和"物种基因库"，是重要的"储碳库"和"吸碳器"，是孕育和传承人类文明的重要载体。

　　党中央、国务院对湿地保护工作十分重视，采取了一系列有力措施。国务院办公厅发布了关于加强湿地保护管理的通知，成立了湿地保护机构和中国履行《湿地公约》国家委员会，编制了《全国湿地保护工程实施规划》《青海三江源自然保护区生态保护和建设总体规划》《全国沿海防护林体系建设工程规划》，用于湿地保护的总投资达到400多亿元。在各地各部门的大力支持下，截至2013年，全国已建立国家湿地公园468处，湿地总面积超过5360.26万公顷，湿地面积保护率为43.51%，一批退化湿地的生态功能正在恢复。

　　《关于〈中共中央关于全面深化改革若干重大问题的决定〉的说明》中，习近平总书记指出，山水林田湖是一个生命共同体，人的命脉在田，田的命脉在水，水的命脉在山，山的命脉在土，土的命脉在树。

　　为此，国家林业局在《推进生态文明建设规划纲要》中划定湿地保护红线，到2020年湿地面积不少于8亿亩。国家林业局按照我国主体功能区规划的要求，修订完善了《全国湿地保护工程规划》，制订出了更有针对性的、分阶段实施的工程实施规划，依法"治湿"，对那些功能退化的沼泽、河流、湖泊、滨海湿地等，通过采取植被恢复、鸟类栖息地恢复、生态补水、污染防治等系列手段，进行综合治理。

聚焦 1

广西山口：
"美人鱼"的红树林故乡

李克强总理对红树林保护极其重视，2014年春天，他在考察海南时专程到东寨港国家级红树林自然保护区调研了一次，使"养在深闺人未识"的红树林"一朝闻名天下知"，一下了带火了这个景区。

走进大山游湿地，山口红树林最迷人。属于亚热带湿地的山口国家级红树林自然保护区，位于广西合浦县沙田半岛东西两侧，海岸线总长50千米，总面积8000平方千米，是中国第二个国家级红树林自然保护区。

这个保护区由沙田半岛东侧和西侧的海域、陆域及全部滩涂组成。东侧是火山灰发育的土壤，滩涂淤泥肥沃，红树林生长特别茂盛。西岸滩涂全为淤泥质，适宜红树林生长。保护区内的光热条件好，冬季低温影响小，海湾侵入内陆，封闭性好，风浪、潮汐、余流的作用较弱，岸滩比较稳定，海水污染程度很低，水质洁净，是红树林大面积分布和生存的理想区域，构成良好的生态系统。这里是我国大陆海岸发育较好、连片较大、结构典型、保存较好的天然红树林分布区。区内的红树林是我国大陆海岸红树林典型代表，发育良好，结构独特，保存完整。

红树林具有呼吸根或支

广西山口人工种植红树林
（邓豪 摄）

柱根，种子可以在树上的果实中萌芽长成小苗，然后再脱离母株，坠落于淤泥中发育生长。小苗掉在海水中即使被海浪冲走，也能随波逐流，数月不死，一遇泥沙，数小时后即可生根成长。红树林生态系统是世界上最富多样性、生产力最高的海洋生态系统之一。林繁叶茂的红树林不仅为海洋生物和鸟类提供了一个理想的栖息环境，而且大量的凋落物为之提供了丰富的食物来源，从而形成并维持着一个食物链关系复杂的高生产力生态系统。

2000年，保护区加入联合国教科文组织人与生物圈保护区网络；2002年被列为国际重要湿地。这里的红树林连片宽阔、高低错落、年久树高、盘根错节，丰富的凋落物成为海洋生物重要的食物来源。湿地中生活着上万物种，从低端到高端形成了封闭完整的生物链，水域里还曾经生活着"美人鱼"儒艮。红树林是陆地向海洋过渡的特殊生态系统，这个生态体系让大陆海岸线不断迁移，对抗潮汐对陆地的冲刷，成为台风来时的家园守护者。

多年来，广西山口自然保护区坚持"养护为主，适度开发，持续发展"的保护方针，与国内外科研所、大专院校紧密合作，开展红树林科学研究，探索红树林资源综合开发和持续利用途径，努力把保护区建成为红树林资源保护、研究、教学、国际交流、开发、旅游的基地。

1 | 2
1. 广西山口红树林湿地的鸟类（黄珊珊 摄）
2. 广西山口喀斯特湖泊湿地

聚焦 2

黑龙江扎龙：
放飞丹顶鹤的寿鸟家园

黑龙江扎龙湿地的自然
风光（王文峰 摄）

2013 年 10 月 31 日，由中央电视台联合国家林业局举行的"美丽中国·魅力湿地"颁奖典礼上，黑龙江扎龙国家级自然保护区以其完整的生态系统、秀美神奇的自然景观和作为丹顶鹤优良的繁育栖息地，荣膺"中国十大魅力湿地"称号。

扎龙是蒙古语"栅栏"的意思，位于黑龙江省齐齐哈尔市境内。扎龙湿地自然保护区是 1976 年为保护多种水禽而设立的，横跨齐齐哈尔、大庆两市六县区，面积约 2100 平方千米，1992 年，扎龙湿地列入世界重要湿地名录。湿地发源于小兴安岭乌裕尔河下游，河水漫散，形成大片湖泊、沼泽和草甸，水陆纵横，芦苇蔽日，为两栖类动物、鱼类、昆虫和禽鸟提供了庇护场所。

扎龙湿地是长寿之鸟——丹顶鹤的家园，丹顶鹤也叫仙鹤，是世界濒危鸟类。作为重要的野外繁殖地，这里有 400 多只丹顶鹤栖息其间，约占全世界数量的 17.3%。随着当代的大建设、大开发，野外生存条件不断恶化，不少野生动物包括丹顶鹤在内都面临着灭绝的危险。扎龙湿地保护区通过人工饲养丹顶鹤，有效地保护了鹤群，科学进行野化放归，取得了不小的成就，最终从全国 41 个国际重要湿地、468 处国家湿地公园、550 多处国家级自然保护区评选中胜出，成为中国最具魅力的十大湿地之一。

人给鸟让路，鸟给人出路。扎龙保护区内，分布着 14 个乡镇、56 个村屯及 10 个国有农牧渔苇、水库等企事业单位，生活着 29800 多人。多年来，正确处理保护与开发的矛盾，建立湿地长效补水机制，实施核心区移民把村庄变鸟岛，"水要流进来、人（核心区）要搬出去"。国家发改委、国家林业局和黑龙江省委、省政府全力支持，加大投入，每年为扎龙湿地补水 10 亿立方米，累计搬迁核心区 13 个自然屯 5000 多人。保护区帮助当地农民生产生活，建设生态经济，较好地解决了人鸟争食、人鸟争地的矛盾。

1 | 2 | 3
1. 黑龙江扎龙湿地的丹顶鹤（王文峰 摄）
2. 黑龙江扎龙湿地的芦苇（王文峰 摄）
3. 黑龙江扎龙湿地鸟瞰（王文峰 摄）

聚焦 3

辽宁盘锦：
大自然最和谐的三原色

"人间谁种多情草，红到天涯犹未了。苇海奔腾无穷碧，百鸟翱翔烟波渺。"这是辽宁盘锦双台河口湿地的美妙意境。位于辽宁省辽河三角洲南部的盘锦双台河口湿地，处于中国大陆海岸线的最北端，南临渤海，总面积达 3150 平方千米，属海岸湿地和内陆三角洲湿地复合生态系统，包括芦苇沼泽、滩涂、浅海海域、河流、水库和水稻田 6 种湿地生态类型。其中天然湿地 1600 平方千米，人工湿地 1550 平方千米。湿地面积占到了盘锦市国土面积的近 80%。

双台河口湿地生长着大面积的碱蓬草，形成了如漫天朝霞般的红海滩。而飞翔在天空中的黑嘴鸥，遍布在地上的黑石油和东北特有的黑土地则与其构成了红黑交映的神奇景观，谱出了一曲激昂和谐的生命之歌。湿地中生活着八九千只黑嘴鸥，占全世界数量的 75%，数量众多的鸟类与丰富的鱼虾资源形成一条完整的生物链。盘锦拥有丰富的石油资源，在采油大军开进湿地完成国家采油计划的同时，当地政府也在进行着湿地保护，在这里工业文明和生态文明和谐共存。

这里是最美、最浪漫的景观湿地。湿地内延展着 118 千米的海岸线，有 2000 平方千米浅海水域，辽河穿

辽宁盘锦湿地红海滩
（宗树兴 摄）

1 | 2 | 3
1. 辽宁盘锦湿地黑嘴
鸥（宗树兴 摄）
2. 辽宁盘锦湿地红隼
（夏建国 摄）
3. 辽宁盘锦湿地鸳鸯
（刘东伟 摄）

境而过，大辽河、大凌河、饶阳河、西沙河等21条河流在这里汇归入海，冲击成了430平方千米滩涂。海的荡涤与滩的积淀，滋养着湿地上分布的277种植物资源。以翅碱蓬为代表的藜科滩涂植物，主要分布在滩涂湿地、潮间带湿地上，其态如锦、其艳似火，赤焰眩目，举世罕见，碱草涌起重重紫红色的波浪，似火如霞的绸缎般铺展在渤海湾，由此构成的湿地生态类型中的奇观"红海滩"，已成为盘锦重要的城市名片！盘锦红海滩国家风景廊道是渤海湾最壮美的一段，在这条中国最红、最浪漫的海岸线上，一侧是嫣红如霞、接海连天的红海滩，一侧是碧波万顷、气势磅礴的绿苇荡。这幅大自然奇美画卷，红的让人心跳，绿的让人神往。2013年中国邮政总公司发行"美丽中国"系列邮票，首发一套6枚，红海滩景观成为辽宁省的唯一入选题材。

这里栖息着281种鸟类、水禽，其中丹顶鹤、黑嘴鸥等国家一、二级保护动物达31种；盘锦是东北地区最大的河蟹养殖基地，河海湿地里还盛产多种淡水鱼类、甲壳类和贝类，其中华绒螯蟹和"天下第一鲜"的文蛤驰名中外。第十二届全运会吉祥物斑海豹"宁宁"就出生在盘锦，盘锦是国家二级保护动物斑海豹最为重要的栖息地，是斑海豹全球八大繁殖区在我国唯一的产仔地。

这里现代文明与原生文明共生，令人神往。建市近30年的盘锦市，始终坚持处理好开发建设与生态环境保护、着眼于平衡眼前利益与长远利益的关系，让盘锦湿地的发展与保护不断迈上新台阶。1985年成立的双台河口自然保护区，1988年晋升为国家级自然保护区，近30年来，保护区用于湿地环境保护的资金共有65亿元。

盘锦市以壮美的湿地为媒，连续举办了七届"中国·盘锦国际湿地旅游周"，成为驰名中外的生态旅游胜地。联合国生态旅游首席专家埃瑞克先生曾在中央电视台《倾国倾城》节目中赞誉"盘锦是中国湿地之都"。

聚焦 4

新疆巴音布鲁克：
天鹅湖的励志童话

巴音布鲁克湿地的湖泊

　　巴音布鲁克湿地位于新疆和静县西北的天山南麓，由大小珠勒图斯两个高位山间盆地和山区丘陵草场组成。总面积约 2.3 万平方千米，距库尔勒市 636 千米，海拔 2000～2500 米，是仅次于鄂尔多斯草原的第二大草原。这里雪峰环抱，地势跌宕，河沟纵横，水草丰茂，环境幽静，天鹅起舞，宛如一个童话世界。著名的"天鹅湖"是我国唯一的天鹅自然保护区。

　　谁都不曾想到，这个水鸟、绿草与民族风情浑然一体的生态美景，20 世纪70 年代却是另外一番景象。那时，草原上的人们过度放牧，使开都河源头湿地和天鹅湖湿地及草原生态遭到破坏，草场退化严重，昔日水草丰茂的草场逐渐沙化。为挽救巴音布鲁克湿地周边生态环境，国家林业局和新疆维吾尔自治区联合保护，巴音郭楞蒙古自治州从 2000 年初开始，对草场退化严重的地区实行划区禁牧、休牧和退牧。

近几年来，国家立项投资 1 亿多元治理与恢复巴音布鲁克草原生态，按照建设社会主义新农村的要求，巴州实施"人畜下山来，绿色留高原"生态移民工程，州、县多渠道筹资上千万元，在平原农区兴建了 120 套抗震安居房，将山上 1400 家特困户 6738 人搬下山来集中安置。为使移民"搬得出、住得下、能致富"，巴音郭楞蒙古自治州实施探索"生态保护和扶贫开发并举"的移民模式，并取得显著成效。

巴音布鲁克蒙古语意为"富饶的泉水"。巴音布鲁克湿地四周雪山环抱，天山冰雪溶水和降雨有效补给，形成了独特魅力的天鹅湖等大量的沼泽草地和湖泊。巴音布鲁克湿地被《中国国家地理》"选美中国"活动评选为"中国最美的六大湿地"第二名。

1	2
3	4	5

1. 巴音布鲁克湿地的牛羊
2. 巴音布鲁克湿地的天鹅
3. 巴音布鲁克湿地冬景
4. 巴音布鲁克湿地的花海
5. 夕阳下的巴音布鲁克湿地

聚焦 *5*

杭州西溪：
鸟类与人类共同的桃花源

杭州西溪湿地自然风光
（杨丹红 摄）

西溪之美，美在她的原生态，美在她超绝脱俗的秀丽气质，无论是在水路，还是陆路，这里清新的空气、优雅的环境、深厚的人文，都会让人如同身处桃花源一般流连忘返，陶醉其中。

浙江省杭州西溪湿地自然保护区位于杭州西北面，距离杭州市中心仅有十几千米，距西湖仅5千米，是罕见的城中次生湿地，占地面积 10.08 平方千米，开放区域 3.46 平方千米。因其独特的湿地生态特征，2005 年 2 月，西溪湿地被命名为全国首个国家湿地公园。被誉为"杭州之肺"的西溪国家湿地公园，因生态资源丰富、自然景观质朴、文化积淀深厚，曾与西湖、西泠并称杭州"三西"，是国内第一个也是唯一的集城市湿地、农耕湿地、文化湿地于一体的国家湿地公园。

时光荏苒，千百年来，西溪在高强度人类活动和湿地生态过程的长期交互作用下，形成了以大水面和多鱼塘为主体的人工湿地，体现着较为独特的人工湿地生态学特征。然而，随着经济和社会的发展，人类在西溪湿地内的活动日渐频繁，在一定程度上造成了对西溪生态环境的破坏。为了让西溪湿地"冷、野、淡、雅"的意境不被湮灭，独特的人文文化能够永久流传，2005 年 2 月，国家林业局同意杭州市正式开展湿地公园的保护和管理。工程对湿地实施了必要的保护，重点突出西溪天然质朴的景色特点，在空间布局上按照"三区、一廊、三带"的规划思路将整个保护区分成三大区域治理，走湿地公园的发展路线。

身处西溪湿地公园中，游者无不被其天然质朴的美所折服，身处其境，自能体会"冷、野、淡、雅"的逸致。她幽寂、宁静，美在天然野趣，淡泊、清远、文雅、高洁，能使人领悟回归自然的哲理，寻常之间即可感受到其浓郁的文化气息。放眼湿地景观，水网、平原交错，桑基、柿基鱼塘处于其间，充分体现了生态优先的可持续发展原则，使西溪湿地水域景观中最精华的部分、最具有湿地特色的部分、最摄人心魄的部分完整地保存了下来。在烟水渔庄之上品尝鲜美的西湖鱼，或者赏花品茶；在西溪水阁体验阁、水交融的无限情趣；在泊庵草堂之中回味"斯是陋室，唯吾德馨"的高洁之士的雅兴，岂不乐哉？

以淡雅之美而闻名的西溪湿地，于一年四季、一天三时风景风情各不相同。湿地内更是生物多样、物产丰富。157 种水鸟栖息其间，最常见的有白头翁、喜鹊、黑水鸡等，湿地为很多鸟类提供生存繁衍的空间。湿地也是众多洄游鱼类的栖息地，生存着 55 种淡水鱼类。从鸟类、鱼类到人类，西溪湿地以其强大的包容性，接纳并养活了这些选择在湿地生活的"居民"。犹如一幅美丽的自然山水画卷：水清岸绿、鸟语花香、蛙鸣鱼翔、梅芳柿红、桃红柳绿、芦白桑青……当然，这幅画卷绝非普通的装饰画，其中暗含着水质、空气、声音、动植物种类及百分比等多种指标的科学考量。2009 年 11 月 3 日，浙江杭州西溪国家湿地公园被列入国际重要湿地名录。

1│2│3
1. 杭州西溪湿地冬景
2. 杭州西溪湿地红嘴相思鸟（杨卫光 摄）
3. 杭州西溪湿地水雉（陈黎明 摄）

聚焦 7

云南哈尼梯田：
世界遗产唯一的人工湿地

哈尼梯田国家湿地公园，位于云南省哈尼族彝族自治州红河南岸的元阳县哀牢山南部。哈尼梯田又称元阳梯田，有1300多年的历史，总面积13011.57万平方米，集中分布在红河南岸红河、元阳、绿春及金平4个县的8个重点片区。

元阳梯田的核心景观是超过1200平方千米水稻梯田，规模宏大，气势磅礴，绵延不绝，片片梯田从海拔数百米的山谷层层叠叠铺到海拔1800多米的山顶，有的高达3000多级，蔚为壮观。仅元阳县境内就有17万亩梯田，平均水位20～25厘米，每年需水量惊人，除去地下水源，森林是梯田的重要水库。当地人用"木刻分水"的办法来分配注入各块梯田的水量，形成了独特的农业生态系统。这里风景如画，每年吸引着世界各地的游客。2013年6月22日，云南哈尼梯田人工湿地被列入联合国教科文组织世界遗产名录。

哈尼梯田是哈尼族人世世代代延续下的杰作，值得称道的有"四绝"。一绝面积大，形状各异的梯田连绵成片，每片面积多达上千亩；二绝地势陡，从15度的缓坡到75度的峭壁上，都能看见梯田；三绝级数多，最多的时候能在一面坡上开出3000多级阶梯；四绝海拔高，梯田由河谷一直延伸到海拔2000多米的山上，可以到达水稻生长的最高极限。

宏伟壮美的梯田景象，绚丽多彩的民族文化，极具特色的民族节日，都是哈尼梯田文化的代表。1995年，法国人类学家欧也纳博士来元阳观览老虎嘴梯田，面对脚下的万亩梯田，激动不已，久久不肯离去，他称赞："哈尼族的梯田是真正的大地艺术，是真正的大地雕塑，而哈尼族就是真正的大地艺术家！"神奇多彩的哀牢山，朴实聪慧的哈尼族醇厚民风，秀美迷离以及变化万千的元阳梯田，成就了气象万千的元阳美景，也成就了持续多年的元阳摄影热！

2007 年 11 月 15 日，国家林业局批准哈尼梯田为国家湿地公园建设试点。近几年来，云南红河哈尼梯田国家湿地公园在美丽中国建设中，从保护、建设、管理、利用各方面创新谋变，取得了一系列建设和保护成果，使整个哈尼梯田湿地的生态系统得到了良好的保护和恢复，基础设施建设和湿地公园服务功能日趋完善，给世人展现出了一个完善美好的国家湿地公园。

1	2
3	4

1. 哈尼梯田湿地村庄
2. 哈尼梯田湿地风光
3. 哈尼梯田湿地云海
4. 哈尼梯田中劳作的
   人们

聚焦 8

闽江河口：
神话之鸟的宽阔舞台

红树林，海水清，云深燕鸥飞；天空蓝，湿地绿，湾浅鱼虾肥……置身闽江河口湿地，给人一种"复得返自然"的感觉。面对坚守与机遇、文明与胸怀、生态与发展，在这条充满艰辛的道路上，福建闽江河口湿地自然保护区管理处处长杨渭平在"中国十大魅力湿地"颁奖仪式上发表获奖感言："寸土寸金的闽江河口湿地，能够保护下来确实不容易，它凝聚着决策者的卓识远见，它也是造福子孙后代的一片宝地。下一步，我们将继续和台湾的同行加强合作，保护好这片大美的湿地！"

闽江河口湿地约有 268 种水生生物，位于闽江入海口的南侧，由鳝鱼滩和周边潮间带河口水域组成，总面积 2100 万平方米，是最具典型性的滨海河口湿地生态系统。闽江河口湿地是东亚至澳大拉西亚候鸟迁徙途中的重要一站，每年在这里越冬水鸟约有 2 万多只，迁徙停歇的超过 5 万只。这里最具代表性的鸟类是：黑嘴端凤头燕鸥、勺嘴鹬和黑脸琵鹭，它们合称"吉祥三宝"。

"百姓富"与"生态美"，是福建省委、省政府建设生态文明、推进科学发展的硬指标。福州侨乡长乐市闽江河口湿地是 2002 年 4 月习近平担任福建省省长时批示建设的县级保护区，2007 年晋升为省级自然保护区，2013 年 6 月晋升为国家级自然保护区，2013 年 10 月被评为"中国十大魅力湿地"之一。

保护区创立 10 多年来，长乐市在城镇化快速推进的大背景下，用科学规划框定科学发展格局，探索了一条以人为本、规划引领、生态优先、融合管护的新路子，打造出了"清新福建"的样板，做成了全国湿地自然保护的样本，为福州市转型建设闽江口金三角经济圈奠定了坚实的生态环境基础。在"中国十大魅力湿地"颁奖现场，时任国家林业局局长赵树丛面对全国亿万观众赞誉：

追梦：建设美丽中国在行动

1	2	3
4	5	6

1. 闽江河口湿地飞鸟
（陈国任 摄）
2. 闽江河口湿地芦苇荡
3. 闽江河口湿地鹭类
（何川 摄）
4. 闽江河口湿地秋景
（庄晨辉 摄）
5. 闽江河口湿地勺嘴鹬
（陈林 摄）
6. 闽江河口湿地中华凤
头燕鸥（陈林 摄）

　　一只燕鸥使海峡两岸人民联手保护自然，国家林业局支持两岸更好地合作交流，使我们的湿地管护有科学的规划、严格的保护、合理的利用、永续的发展。

　　多年来，长乐市在保护和建设湿地中，突出特色、顺势而为，坚持不砍树木，不占田地，不拆民房，就地打造滨海风情，构建美丽湿地，在保护中打通旅游富民的新路径。闽江河口国家湿地公园 2011 年正式获批后，长乐市大手笔打造"月亮"景区，以现有的百榕公园和观鸟平台为依托，扩建改造湿地博物馆、游客中心、水乡渔村、湿地会所、星级饭店、游艇码头等旅游服务项目，开发栈道游览、游船观鸟等游览项目。

　　2014 年 4 月 18 日，国家林业局陈凤学副局长受局党组委托，带领调研组专题总结闽江河口湿地保护区管护经验。陈凤学说，我们从观鸟屋观察、湿地博物馆和湿地公园硬件建设、湿地生态环境修复改造中，强烈感受到了保护区创新管护标准带来的巨大变化，强烈感受到了福建加快生态文明先行示范区建设的铿锵步履。对于这片失而复得的新湿地，长乐务林人完美地实现了十年跨越的"三级跳"，福建闽江河口湿地的建设和保护凝聚着决策者的卓识远见，凝结着管护者的心血和汗水。

聚焦 9

山东微山湖：
亚洲唯一河湖交融型湿地

微山湖国家湿地公园位于山东省南部微山县，公园总规划面积100平方千米，是以湿地保护、科普教育、水质净化、生态观光为主要内容的大型公益性生态工程，为亚洲最大的草甸型湖泊湿地。

这里历来有中国北方水乡之称，是典型的草甸型湖泊。广义的微山湖是南四湖的别称，包括微山湖、昭阳湖、南阳湖和独山湖，水域面积达1266平方千米，平均水深1.5米。微山湖以浅水湖面红荷观赏区而闻名，多达10万余亩的荷花使之成为华东地区面积最大、生态保存最原始、湿地景观最佳和中国最大的荷花观赏地区。2011年12月13日，国家林业局正式下发通知，批准建立微山湖国家湿地公园。这是山东济宁市唯一一个国家级湿地公园，也是微山湖区域唯一获批以"微山湖"命名的湿地公园。

这里风光秀丽，自然洒脱，山、岛、林、湖，渔船、芦苇荡、荷花

1 | 2
1.山东微山湖湿地公园鸟瞰（陈保成 摄）
2.山东微山湖湿地荷田（陈保成 摄）

1 | 2 | 3

1.山东微山湖湿地白琵鹭（陈保成 摄）

2.山东微山湖湿地震旦鸦雀（陈保成 摄）

3.山东微山湖湿地凤头潜鸭（楚贵元 摄）

池交相辉映，景致和谐统一，共同构成了微山湖独特的美丽画面，形成了一个天然的大公园。在这些景物中，尤以有"花中仙子"之称的荷花最为耀眼，它那出淤泥而不染的性格，濯青莲而不妖的品格、气质所衬托的美让人们颇为喜爱。放眼湖面，洋洋洒洒，数十万亩的荷花景象蔚为壮观，人们将这里称作"中国荷都"。

微山湖水生植物丰富，代表植物是芦苇和荷花。微山湖还是鸟类理想的家园，迁徙水禽最重要的越冬栖息地。其中数量惊人的鱼群成为鸟类的丰富食物，四鼻孔大鲤鱼是微山湖最有名的鱼。这里的居民为了保护家园，甚至将牧渔耕湖的生产模式转变为退渔还湖，使微山湖水质变得越来越好。

游者在水上观光，岛湖间探幽，湿地内尽兴漂流，自然、文化和人类的生存环境融为一体，湿地生态系统、农田生态系统、林地生态系统等多种生态系统类型结构完整，原生态湿地特征明显，具有很高的生态、文化、美学和生物等多样性价值。这里还逐步发展成为一处新兴的红色旅游和爱国主义教育基地，构筑了山东省"一山二水三圣人"的旅游新格局。

聚焦 10

澳门湿地：
山海之间的人工奇迹

澳门，一个以博彩业而闻名于世的城市，充满着活力。提到澳门，人们总会不禁联想到鳞次栉比的商务高楼，繁华靓丽的商业都市。而不为人们所知的，是在这样一个不足 30 平方千米的城市，却有着大大小小约 7 块不同类型的湿地，它们分布于赌场边、大桥下、山林中……与澳门人的生活息息相关。

在这些湿地中，却独以九澳山湿地而著名，九澳山地处九澳岛之上，九澳岛现如今被称作路环岛，路环是澳门的一个岛屿，是组成澳门的三部分之一，同样因岛上的九澳山而得名。与之齐名的还有九澳水库，虽不恢弘但亦自然，给人一种清新之感。

路环岛的地势为全澳最高，全岛丘陵起伏，路环岛从东北向西南斜卧在海中，长约 4 平方千米，境内多低丘，地势比氹仔岛高，大部分高度在百米以上，大多集中在中部和东部，山岩性质以花岗岩与火山岩为主。这里离半岛较远，人口较少，但这里环境幽静，山峦起伏，树木繁茂，公园较多。

由全长 1150 米的环湖径入口启步，可见山坡之中生有九澳海边特产的灶地乌骨木，当春夏之季，繁花盛开，洁白如雪，在这里不仅能见到华南地区生长的植物，甚至能看到原产自地中海的野生植物，这里竹子繁盛，式样无奇不有，在澳门称得上稀有的软荚红豆也生长在这里，园内还有不少珍稀植物。游人若在岛屿环抱的秀丽湿地风光之中来杆高尔夫，那真是妙不可言。

离开山谷，转个弯，看见一行行植树带，代表了一个个机会和希望，伴随着季节的更迭，山林的色彩也会发生变化，当树叶颜色由黄转红，映在山岭和水面之中的艳丽，再加上蓝天白云和阳光的衬托，巧妙地构成一幅幅灿烂无比的彩画，让人兴起一股莫名的感动与亲近的欲望。

1	2
3	4

1. 澳门九澳淡水湿地
2. 澳门湿地丝叶狸藻
3. 澳门湿地中华里白
4. 澳门湿地自然风光

澳门的其他几块湿地虽无九澳山湿地出名，但也同样起到了保护澳门生态、涵养水源、净化环境、给动植物提供良好生存环境的作用。它们面积不大，却自有一番玲珑小巧、曲径通幽的美感。在这些湿地当中，成百只的鹭鸟生活在靠近赌场的城中湿地之中，悠闲自得地过着与世无争的日子。树蛙、蜻蜓、斗鱼……这些有趣的生物更是在九澳山上的淡水湿地随处可见。人类，是它们的朋友，而湿地则见证着它们的繁衍生息。

贵州曾纳农村（旅游小镇）

第三节
建设美丽乡村

　　"让居民望得见山、看得见水、记得住乡愁"，是推进城镇化主要任务中的要求之一。2013年7月22日，习近平总书记来到正在进行城乡一体化试点的湖北省鄂州市长港镇岷山村。他说，实现城乡一体化，建设美丽乡村，是要给乡亲们造福，不要把钱花在不必要的事情上，比如说"涂脂抹粉"，房子外面刷层白灰，一白遮百丑。不能大拆大建，特别是古村落要保护好。

　　我们沿着习近平总书记考察岷山村的路线走进生态新城长港镇，目睹了岷山村"三边"绿化鸟瞰图和已经建成的四线港精品工程。岷山村在三边绿化中"化无为有"，瞄准长达3.5千米的四线港区，经过30多天的工程清淤整治，将淤泥晒干翻土再造林地，种植樟树、桂花、广玉兰、红枫、红叶石楠等品种，并在港区两边分别建设了50米宽的绿化景观带。岷山村二组的当家塘原是一口烂泥塘，当地政府结合村边绿化进行整治，对水塘周边强化绿化，变为村中一景。

　　2013年2月23~24日，中央农村工作会议在北京举行，会议强调：中国要强，农业必须强；中国要美，农村必须美；中国要富，农民必须富。会议还指出，要重视空心村问题，推进农村人居环境整治，继续推进社会主义新农村建设，为农民建设幸福家园和美丽乡村。

　　建设美丽乡村是中国农民的迫切需求。腰包渐渐鼓起来的中国农民，在整体推进美丽乡村建设中有很强的积极性。近几年来，农业部、发改委、财政部、住建部、国家林业局等职能部门综合发力，各地统筹城乡发展，把生态文明理念融入美丽乡村建设，出台了一系列措施，取得了良好效果。农业部不但宣布一系列政策措施向美丽乡村倾斜，成立了美丽乡村创建办公室，更在全国公布了1100个美丽乡村试点乡村，进行重点创建。截至2012年底，全国累计有

21.4万个村庄实施了整治，到2020年我国将新增实施30万个村庄整治，大面积村庄整治风帆正起。

乡村美不美，得看生态理念是否融入乡村。近年来，各地自觉树立尊重自然、顺应自然、保护自然的生态文明理念，把生态文明建设融入到美丽乡村建设的各方面和全过程，突出乡村林业生态建设。因为森林是人类生存的根基，是大自然的"美容师"，也是美丽乡村的"保护伞"。我们在湖南省新宁县看到，他们把生态林业作为建设美丽乡村的一号工程，坚持造林扩面、护林固本、活林强基，努力建设"绿色银行"，培育生态宝库，实现绿满乡村。先后建成了65个生态林业示范基地，如万亩珍稀红豆杉育苗基地、珍贵树种苗木培育示范基地，3年造林12.3万亩，使森林覆盖率达到70%。

乡村美不美，得看规划是否因地制宜。农业部科教司唐珂司长说，科学规划是村庄生态整治之魂。现在，我们去走访浙江钱塘江畔美丽的桐庐县古村荻浦。全村645户农家，他们在美丽乡村建设中实施"古生态整治提升、古建筑修缮利用、古文化挖掘传承、古村落产业经营"4大工程，先后荣获"全国亿万农民健康促进行动示范村"和"浙江省森林村庄"等称号。获浦在村庄整治之前，同许多乡村一样，垃圾基本靠风刮，污水基本靠雨冲。他们规划的主题定为"治水"。整治前由于违章建筑乱搭乱建和疏于清理，村内沟渠淤积，水系近乎瘫痪。整治中大家对全村水塘、溪流进行清淤，使水系恢复。对所有农户的生活用水进行处理，对池塘进行生态化改造，通过塘底清淤，引流活水，种植荷花、水草等水生植物，修复池塘生态系统，再现了清澈的池塘水和游动的小鱼虾。

乡村美不美，得看投入是否有保障。建设美丽乡村，投入需要地方各级政府筹集。对此，浙江桐庐县的做法更具代表性。同全国情况相比，桐庐的县域经济比较富裕，GDP超过262亿元，财政收入34亿元，城镇居民人均可支配收入30301元，农村居民人均收入15232元。就地方筹集资金投入而言，显然东部地区要比西部地区宽裕一些。但国家扶贫开发工作重点县——云南省寻甸县，坚持用多少面粉做多大馒头来筹资，大家有钱出钱，有力出力，量力而行，这种实事求是的建设态度也很好。改善农村人居环境，"钱从哪儿来"是个不能回避的问题。"要发挥财政资金'四两拨千斤'的作用，一事一议是改善农村人居环境的有效途径。"财政部副部长胡静林介绍说，2008～2013年，全国各级财政累计投入一事一议财政奖补资金2391亿元，其中，中央财政投入732亿元。据统计，这些财政奖补资金带动村级公益事业建设总投资5000多亿元。

2014年2月，农业部发布中国"美丽乡村"十大创建模式，它们是产业发展型、生态保护型、城郊集约型、社会综治型、文化传承型、渔业开发型、草原牧场型、环境整治型、休闲旅游型和高效农业型。据农业部美丽乡村创建办公室主任魏玉栋介绍，他们还公布了十大模式的典型村。

2015年5月27日，国家标准委又批准发布了《美丽乡村建设指南》（GB/T32000-2015），确定了美丽乡村建设的主要技术内容，新国标于2015年6月1日起正式实施。

现在，我们就走近十大模式典型村，共同探索他们的发展之道和建设之路。

聚焦 1

产业发展型:
江苏省张家港市南丰镇永联村

入选农业部"美丽乡村"十大创建模式的江苏省张家港市南丰镇永联村,地处长江之滨,所辖面积 10.5 平方千米,拥有村民 10938 人。地处经济相对发达地区的永联村产业强壮,特色明显,农民专业合作社、龙头企业发展基础好,产业化水平高,初步形成了"一村一品""一乡一业",实现了农业生产聚集、农业规模经营,农业产业链条不断延伸,产业带动效果明显。村办企业永钢集团拥有总资产 300 亿元,2014 年销售收入 358 亿元,利税 18 亿元,村级可用财力 1.2 亿元,村民人均收入 37260 元,综合经济实力跨入全国行政村三甲行列,先后获得"全国文明村""全国先进基层党组织""全国休闲农业示范点""全国休闲农业与乡村旅游示范点""中国农耕文化示范园"等 30 多项国家级和省级荣誉称号。

永联村的发展过程,首先是工业化的过程。曾经的永联村是张家港市面积最小、人口最少、经济最落后的村。吴栋材书记 1978 年到永联村后,首先突破"以粮为纲"的思想禁锢,挖鱼塘填高地,夺取了副业和粮食的双丰收;随后办起了玉

永联小镇风光

夜幕下的永联小镇广场

石厂、枕头套厂等 7 个小加工厂，使农副工商全面发展，用经济手段管理经济，走上了"以工兴村"的道路，甩掉了贫穷落后的帽子。

1984 年，苏南农户建楼房需要大量钢筋，吴书记看到建筑钢材市场潜力大，自筹资金 30 万元，带领村民创办永联轧钢厂，第二年销售收入 1000 多万元，盈利 100 多万元，永联村一跃成为张家港市十个富裕村之一。经过 20 多年的发展，轧钢厂已发展成为在全国民营企业 500 强中排名第 51 位的大型钢铁集团——永钢集团。永钢集团发展壮大后，不断吸纳村民就业，现在永钢集团 13500 多名职工中，就有 3000 人左右为永联村村民。

永联村工业发展的同时，也坚持不断地反哺农业。永联村按每亩每年 1300 元的标准，将村民手中 8000 亩耕地的承包经营权统一流转到村集体。先后建成了占地 4000 亩的苗木基地、3000 亩的粮食基地、400 亩的花卉基地、100 亩的特种水产养殖基地、500 亩江南农耕文化园，大力发展现代农业。在永联现代粮食基地，由于"三精农业管理体系"的应用，彻底颠覆了传统的种田方式。"鼠标成农具，田头进镜头"，农地里工作的是招聘来的本科生、研究生，实行鼠标种地、自动化控制、智能化灌溉、机械化收种。

永钢集团在发展过程中，深入推进节能减排，目前自发电比例超过40%，固体废弃物实现"零排放"，水重复利用率在98%以上，为江苏省循环经济试点单位，近5年获得各级节能减排奖励资金3850万元。生产过程产生的蒸汽余热，还被用于水产养殖、花卉种植、工厂化育秧、粮食烘干等现代农业生产，实现了工业与农业的循环。

永联村的工业化发展也带动并促进城镇化的过程。随着永钢集团的发展，土地不断被征用，由此推动了农民集中居住以及城镇设施的配备。2005年，永联村凭借雄厚的集体经济实力，抓住国土资源部城乡建设用地增减指标挂钩政策，拆迁田间地头的农户，归并、集中宅基地1140亩，拿出600亩建设永联小镇，打造了一个可容纳3万人居住的农民集中居住区。小镇导入了江南水乡的建筑文化，把粉墙黛瓦、小桥流水等江南建筑元素，艺术地表现在现代建筑中，打造具有21世纪时代特征的江南水乡，努力成为百年之后新的"周庄"。

良好的生态、优美的环境，历来是乡村的名片，也是农村最让人向往的要素。永联村30多年来，坚持可持续发展原则，大力加强生态文明建设和环境保护力度，实现人与自然和谐发展。永联村十分注重园林绿化建设，10.5平方千米的村域内，绿化覆盖率达42%，并点缀有假山、凉亭、雕塑等公共艺术，有效提升了村庄形象。党的十八大以后，永钢集团更是坚持"花园式工厂"的战略目标，在原有绿化面积19万平方米的基础上新增绿地面积7.7万平方米，厂区绿化增长率达40.5%。2015年，永钢通过采取寻缝插绿、见空补绿、拆障种绿等措施，新增和改造了2万平方米的厂区绿化带。

2013年以来，永联村积极响应了党和国家关于推进新农村建设的号召，以现代化为目标，以绿色发展为原则，坚定不移地走新型工业化道路，大力发展现代农业，充分发展乡村旅游业，使全村成为了农民幸福生活的家园，又成为了城市居民休闲观光的乐园，呈现出一幅由小镇水乡、花园工厂、现代农庄、文明风尚构成的"农村现代画"。目前，永联村旅游已经初步形成了休闲生态游、农耕文化游、美丽乡村游、观光农业游、新型工业游、水上乐园游六大主题，2014年累计接待游客50万余人次，成为永联村、永钢集团实现一二三产联动的驱动器。

1	2
3	4

1. 永钢万吨码头
2. 永联村现代化农业
3. 《绿水青山》项目组
   在永联村采访
4. 永联游乐场

　　如今的永联村是城乡一体、和谐发展、全面进步的美丽乡村。98%
的村民享受到了城镇化的生活环境和条件，98%的土地实现了规模化、
集约化和产业经营管理，98%的农村剩余劳动力得到了就业，98%的农
民享受到了比城市居民更优越的生活保障。今后，永联村还将在产业发展、
城镇规划、生态建设、群众生活方面下大力气、大功夫，打造天蓝、地绿、
水净、安居、乐业、增收的美丽乡村。

聚焦 2

生态保护型：
浙江省安吉县山川乡高家堂村

　　高家堂村位于浙江省安吉县山川乡，是湖州市最南端的一个小山村，区域总面积 7 平方千米，山林面积 8796 亩，其中毛竹林 4639 亩，水田面积 349 亩，森林覆盖率 88.8%。村庄四周竹林环抱，绿意盎然，村中心有仙龙湖，透着灵秀之气。东南面有七星谷景区，飞瀑翠雨，潭水碧绿，竹林茂盛，犹如仙境。赤豆洋山顶，有一片未被涉足的湿地，还有始建于唐代的石佛寺。境内生态环境良好，山清水秀，整个乡村如一艘航行在竹海里的船，是一幅活的水墨画，被游客封为"浙北魅力第一村"。先后被授予"全国文明村""全国民主法治村""国家级生态村""全国美丽宜居示范村"等称号。

高家堂村村口

　　"川原五十里，修竹半其间"，形象地刻画出中国竹之乡安吉的多竹，而高家堂则可谓是竹海中的竹海，中国毛竹现代科技园区安吉核心区就位于高家堂。高家堂是安吉生态建设的一个缩影，该村以生态建设为载体，进一步提升了环境品位。他们用自己的双手，在山沟里建起了仙龙湖生态景观水库，将一个普普通通的小山村，建设成了一个亲水生态村。这里有浙江省农村第一个应用美国阿科蔓技术的生活污水处理系统，有湖州市第一个生态公厕，有湖州市第一个以环境教育、污水处理示范为主题的农民生态公园。

高家堂村把发展第三产业放在突出位置，以环境建设夯实第三产业发展的基础，充分借助外力，大力发展乡村旅游经济，推进乡村经营建设。制定村庄整体规划，建成以山村体验，自然景观为特色，集吃、住、行、游、娱五位一体的村域大景区。以村集体所有自然资源及已建基础设施折现后入股30%，合作公司投入现金形式入股70%，组建安吉蝶兰风情旅游开发有限公司。2012年9月，投入60万元打通东篱到水墨桃园的环村公路，使得原本分散的景区连点成线，形

高家堂村七星谷景区

成"一园一谷一湖一街一中心"的村休闲产业带，做好乡村旅游大文章。2013年，国家旅游局向高家堂村颁发了3A级景区牌照，高家堂村成为全市第一个以村域为背景的国家3A级景区。截至2014年10月，蝶兰风情旅游公司接待旅游人数近10万，实现收入386万元，打破了旅游行业前三年无赢利的惯例。

高家堂村做优生态农业。一是大力发展生态高效竹业，充分借助毛竹连片的优势，开通林道5条，共计9.96千米，林区道路面积28.1平方米，建成了3000亩的竹用林经营示范区，与安吉毛竹现代科技园区连成一体，成为主要辐射区之一。为保护环境和生物多样性，改善毛竹林品种过于单一造成的水土流失、病虫害加剧等，高家堂村新建林道1.2千米，并与世

界银行合作引进了毛竹套种阔叶林项目，对毛竹生产的可持续发展起到推动作用。通过基础设施改善和技术提升，建立竹笋示范户55户，毛竹产量从1200元/亩上升到最高产值5000元/亩，并通过示范作用，以点带面，全面推广，竹林效益不断提高。二是大力扶持和培育农产品种植加工业。成立安吉指南竹笋专业合作社，流转全村山林3700余亩，实行"统一品牌、统一销售、统一经营、统一管理"的模式，提升林农收入。茶叶种植面积达300亩，年产量2.6吨，带动了村民踊跃参与竞标村集体保留林地和农户茶园的势头，全村农田全年无弃耕现象。加强农产品知识培训力度，2012年农民技术技能培训覆盖面100%。

在村容村貌的治理和维护方面，高家堂村下了大功夫。全村共设置各类垃圾箱116只，并建立村庄保洁队伍，实施垃圾的分类收集管理，目前生产、生活垃圾处理率达100%。完善了生活污水处理系统，目前共有阿科蔓污水处理系统、湿地污水处理系统、太阳能微动力污水处理系统，全村生活污水处理率达到85%以上。农房改造建设，立面改造、庭院改造、业态改造共87户，总投入600万元；改造时充分考虑乡土材料，突出山村风貌，结合农户村庄经营的想法和要求，提升房屋功能性，开发农家乐餐饮、住宿等功能。中心村进行高标准环境整治提升，以环湖整治为重点，拓展绿地建设和文化长廊，桥路整修一新，沿线河道进行了整理和绿化，建设生态河道，建成湖滨公园，村容村貌焕然一新，

1 | 2 | 3

1. 高家堂村仙龙湖
2. 《绿水青山》项目组
   考察高家堂村
3. 高家堂村阿科蔓技术
   污水处理池

村庄绿化覆盖率达 28%。

高家堂村下辖 6 个自然村，设 9 个村民小组，截至 2014 年户籍人口数为 859 人。随着高家堂景区的知名度日益提升，村民越来越多地与外人接触，村民的素质在一定程度上影响到了游客对高家堂的印象。因而，提高村民素质，成为了高家堂村民委员会工作的重中之重。创建美丽乡村精品示范村以来，该村开展了形式多样、内容丰富的培训，如垃圾分类培训、法律知识培训，通过这一系列的培训，有效地提高了村风民风。

高家堂村以"村村优美、家家创业、处处和谐、人人幸福"为总体目标，着力在强整治、借民力、重参与、促发展上下功夫，思想上高度统一，行动上加大力度，积极创建中国美丽乡村，推进了全村经济的快速发展和社会的全面进步。

高家堂村幸福礼堂

聚焦 3

城郊集约型：
宁夏回族自治区平罗县
陶乐镇王家庄村

王家庄村位于"塞上小江南"陶乐镇中部，地处平罗黄河大桥、203省道沿线，是一个依托东临毛乌素沙漠边缘、西邻黄河的独特地理位置发展壮大的新农村建设示范村。王家庄村总面积1030公顷，下辖8个村民小组，总人口1760人，耕地面积6549亩。近年来，王家庄村以发展现代农业为重点，通过建设高标准种植、养殖设施，提高单位面积农产品产量和产值，建立快捷顺畅的农产品流通渠道和网络，保障城市鲜活农产品供应，成为"美丽乡村"城郊集约模式的典范。

王家庄村利用有利的土地资源大力发展种植业、养殖业，种植、养殖已经成为该村村民发家致富的主导产业，在传统农业的基础上，形成了生产、贩运、加工、流通的规模化、产业化生产模式，涌现出鑫宏种业、鑫垚源养殖等一批规模化种植、养殖公司、大户，使该村农民从传统农业向技术集约化、劳动机械化、生产经营信息化的现代农业跨出了

王家庄村农家乐

一大步；一些专业技术协会、涉农私营企业等经营性服务组织发展迅速，农业生产经营活动所需的政策、农资、科技、金融等服务到位。

王家庄村大力发展以农家乐、渔家乐、休闲旅游等为主要内容的第三产业，以桃园餐饮、四宝家庭农庄为代表的服务业充分将自然与人文在休闲农业中结合，使乡村旅游和休闲娱乐得到健康发展。近年来，王家庄村科学整合沙漠、黄河、天然湖泊、人工生态林等旅游资源，

王家庄村优良品种蔬菜

加大对旅游资源的规划开发，天河湾农家乐园、莹湖湿地保护生态园等一批骨干生态旅游景区已初具规模，并取得良好的经济社会效益；集汉、回、蒙民族风情于一体，具有吃、娱、购综合服务功能的特色饮食一条街投入使用，成功举办物资交流大会、赛羊大会。2012年第三产业收入实现正增长，有力地促进了农民增收。

在村容村貌的治理和改善方面，王家庄村坚持把美化、绿化、亮化是作为该村新农村建设的发展重点，加大投入力度，积极争取上级部门扶持，村容村貌大为改观。目前，该村所辖八个村民小组砖房入住率达到98%以上，全部实现主要道路硬化绿化，生产生活分区，人畜饮水设施安全完善，清洁能源、节能产品广泛使用，村容村貌整洁有序，村民用水、用电、通信等生活服务设施齐全、维护到位。

王家庄村在美丽乡村建设中取得了一定的成绩，接下来，王家庄村还要对美丽乡村建设再研究、再创新、再提升，紧紧围绕"创业增收生活美、科学规划布局美、村容整洁环境美、乡风文明和谐美"的方针，着力把王家庄村建设成为集居住、休闲、发展、康健等为一体的美丽乡村。

聚焦 4

社会综治型：
吉林省扶余市弓棚子镇广发村

广发村位于扶余市弓棚子镇东部，301省道南侧，距镇政府所在地6千米，区域面积13.24平方千米；现有耕地969公顷，林地面积44公顷，森林覆盖率为15%；全村辖3个自然屯，有农户661户，总人口2520人，劳动力1350人。2008年，广发村被列为省级新农村建设试点村，并转变为社区管理。2013年以来，广发村立足特色资源，充分发挥区位优势，建设公共基础设施，完善公共服务，培育主导产业，壮大集体经济，实现良性发展。

广发村的新式民居是吉林省社会主义新农村的样板，为了使新民居建设工程有序开展，他们做到"三个结合"和"五个统一"。"三个结合"即新民居建设与新农村建设相结合，与乡镇土地利用总体规划和村镇建设相结合，与村屯实际状况相结合。"五个统一"即统一规划，统一设计，统一审批，统一标准，统一兑现优惠政策。

广发村3个自然屯共建设改造新农居600户（统一更换彩钢瓦，统一粉刷大山

1	2
3	4

1. 广发村村民生活
2. 广发村村委会
3. 广发村村民正在劳作
4. 广发村整洁的街道

墙），其中建苏式民居58户；共修建水泥路8千米、红砖路25千米；共修建排水沟6200延米；共改建围墙4500延米，粉刷围墙9200延米；安装改造大门260个。为加强村屯绿化、美化、亮化，共栽植松树1300棵，安装路灯140盏，通过开展美化村屯，创建绿色家园行动，创造了宜居的生态环境。如今，广发村的新农村建设已呈现出勃勃生机，成为扶余市乃至吉林省的社会主义新农村建设的先行者。

广发村多年来坚持以经济建设为中心，大力加强社会主义新农村建设，牢牢把握生产发展这个重点，着力做强现代农业。广发村依据自身的土地资源特点，建立了农机合作社，实现了土地集约生产经营，优化种植结构，大力发展花生及烤烟两大经济作物。到2012年末，全村GDP总产值达到4150万元，其中农业总产值3800万元，畜牧业及其他各业产值达到350万元，全村农民人均纯收入9750元，村集体积累收入35万元。全村政通人和，人心思进，到处洋溢着一派现代化新农村的勃勃生机。

广发村资源丰富，环境优美，今后将以创建美丽乡村为契机，巩固和深化创建成果，树立可持续发展意识，把广发村建设成为全市美丽乡村中的精品村。

聚焦 5

文化传承型：
河南省孟津县平乐镇平乐村

平乐村隶属于河南省孟津县平乐镇，公元 62 年东汉明帝为迎接大汉图腾在平乐筑"平乐观"而得名，地处汉魏故城遗址，南临"千年古刹"白马寺，北靠汉陵邙山，距洛阳市 10 千米，交通便利，物产丰富，地理位置优越，素有"金平乐"之称。全村 43 个村民小组，共 6473 人，耕地面积 9400 亩，村庄占地面积 3300 亩。2012 年，全村实现经济收入 6000 多万元，人均可支配收入 8000 元，先后被洛阳市命名为"新农村建设示范村"，被河南省命名为"河南省文化产业示范村"，被文化部命名为"民间文化艺术之乡"。

平乐自古人杰地灵，文化积淀深厚。平乐村民创作的牡丹画美名远扬，俗称"官桌"的平乐水席远近闻名，平乐郭氏正骨曾被评为"国家级首批非物质文化遗产"。近年来，平乐村按照"有名气、有特色、有依托、有基础"的四有标准，结合当地实际，利用资源优势，以民间艺人创造牡丹画产业为龙头，以郭氏正骨产业和水席产业为两翼，不断扩大产业规模，增加了农民收入，壮大了村集体经济，不仅改善了村容村貌，而且升华了村风民俗，探索出一条独具特色的社会主义新型农村发展模式。

在牡丹画产业发展方面，近几年，平乐村坚持"请进来，走出去"的战略思想，先成立了牡丹画院，随后引进洛阳鼎润实业有限公司，在画院和公司的帮助下，外取真经，内练硬功，提高技艺，充实才艺，扩大销售，不断提高社会效益和经济效益，取得了不俗业绩。2013 年以来，平乐村充分发挥自身优势，被誉为"中国牡丹画第一村"。如今，平乐牡丹画基地已形成了创作、装裱、营销产业一体化，平乐农民画师们的牡丹画作品远销日本、美国、东南亚等国家和地区。

在水席产业方面，针对平乐水席队伍的不断壮大，服务项目的日益增多，平乐村委专门成立了"平乐水席服务协会"，为各家水席队伍提供全方位的业

1	2
3	4

1. 平乐村村民生活
2. 平乐村果树
3. 平乐村文化活动
4. 游客观赏平乐村牡丹画

务服务，免费提供各种信息，联系客户，承办业务，培训学员，聘请名厨，讲授烹艺，同时，严格执行食品安全管理，对服务人员加强教育，提高服务质量，扩大服务范围，平乐水席呈现出欣欣向荣的发展态势。

在郭氏正骨产业方面，由于平乐郭氏正骨起源于清乾隆年间，距今已有200多年的历史，是中华民族医术界的瑰宝，为继承发扬传统，弘扬郭氏正骨，平乐村创办了"平乐正骨医院""平乐骨科学院大专班和本科班"，为平乐郭氏正骨的传承和发展创造了更广阔的发展前景。

今后，平乐村还将朝着集旅游观光、休闲娱乐、教育培训、产品交易为一体的"中国牡丹画第一村"发展，让全村人民过上生产发展、生活舒适、生态文明、文化传承、和谐幸福的小康生活。

聚焦 6

渔业开发型：
广东省广州市南沙区横沥镇冯马三村

冯马三村冯马阁

冯马三村位于广州市南沙区横沥镇一涌和二涌之间，往南至新垦21涌均属沙田冲积平原，故素有"万顷良田由此起"的说法，具有沙田水乡标志性特点，自然生态保持良好，民风淳朴，富有历史文化底蕴。冯马三村南边有番中公路，万环西路贯穿连接南沙港快速路，地理环境优越，交通便捷。全村总面积约3.8平方千米，总耕地面积4070亩。村内河网交织，村民沿涌而居，小桥、流水、渔船、古树、人家，构成了一幅两岸风景绝秀的优美画卷。

基于以上的特色优势，横沥镇党委、政府近年集上下之力，充分挖掘冯马三村自然地理、历史遗迹、风土人情等资源禀赋，实现保护乡村自然风貌、传承乡土气息、保护历史建筑、发掘传统文化、美化生态环境、培育发展特色产业和推动农村管理精细化的目的，打造具有岭南水乡风情的休闲旅游名村，树立岭南"钻石水乡"这一知名品牌，使之成为南沙新区的重要旅游景区。

冯马三村建设工作开展以来，涉及基础设施建设方面的资金投入达 2600 多万元，共计 13 项重点基础设施建设工程。其中包括：完成了村内 7 条机耕路共 3.921 千米的硬底化建设，硬底化率达到 100%；翻新了将近 5 千米的村道，包括新建了 3 座桥梁，大大方便了农产品的运输和村民的出行；完成了 1500 平方米农贸市场改造升级；完成了 1020 亩冯马三村鱼塘标准化改造工程和配电工程；增设了从万环西路进冯马三村至海堤水闸将近 50 千米路段的景观路灯，实现了农村"亮光工程"；同时，对影响渔船出入的河道进行了清淤，并设置了一个约 150 平方米的集中处理垃圾的标准垃圾池，一个带有残疾人士专用厕位的厕所，一个带有 50 个停车位的停车场。通过名村和美丽乡村的创建，该村各项基础设施得到了进一步的完善，为该村实现"岭南沙田水乡旅游特色名村"的创建目标奠定了良好的基础。

冯马三村在发展现代化农业中具有优越条件：土地肥沃，水质好，无污染。主要种植香蕉、水稻、玉米、蔬菜和瓜果等。其中有 1020 亩集体鱼塘发展高附加值水产养殖，供应香港及澳门。村集体主要依靠土地发包和小市场的出租获取经济收入，2012 年村集体经济收入 37.5 万元，村民人均年收入 11600 元。冯马三村现已引进了中粮集团（投资 5 个亿）、双桥味精（投资 2 个亿）等一批重大项目落户，未来当地二、三产业的发展指日可待。2013 年以来，冯马三村加强村民自治、民主建设，大力推进社会主义精神文明建设，该村的经济社会发展状况有较大提升。

聚焦 7

草原牧场型：

内蒙古自治区西乌珠穆沁旗
浩勒图高勒镇脑干哈达嘎查

　　走进内蒙古自治区西乌珠穆沁旗浩勒图高勒镇的脑干哈达嘎查（村），乍看与普通的中国北方农区村庄一般平实无华，但漫步于安装上了太阳能路灯的砂石路上，才发现这个村庄是那么的特别。新房外墙不仅装饰着"蓝天白云"的蒙古族特色图案，院落内看不见圈养的牲畜，不远处一簇簇高高的牧草让人不禁联想盛夏"风吹草低"的草原美景。

　　以前，脑干哈达嘎查是一个人口多、草场面积小、畜牧业生产落后、牧民生活水平较低的后进村落。如今，牧民们已住进洋房，牲畜被集约化饲养，嘎查变成了畜牧业产业化、住所别墅化、生活现代化、生产区和生活区分开的新型村庄。

　　牧民居住环境的显著变化只是脑干哈达嘎查落实新牧区建设的一个缩影。2013年以来，各级政府按照"生产发展、生活宽裕、乡风文明、村容整洁、管理民主"的"新农村、新牧区"建设目标，加大了对草原牧区民生和农牧业项目的投入力度，使许多草原村落、社区旧貌换新颜。浩勒图高勒镇按照"围绕发展抓党建，抓好党建促发展"的总体思路，紧紧抓住发展这个第一要务，把握机遇，理清思路，加快发展。与锡林郭勒盟天罡集团协作，促进畜牧业产业化进程。其中，脑干哈达嘎查是其中较为突出的村。

　　脑干哈达嘎查草场总面积4.46万亩，人均草场180亩。总人口57户、217人，其中从事畜牧业生产36户、139人，转移进城21户、78人。已注册肉牛育肥合作社2个，社员17户54人。2012年，嘎查集体经济年收入8.5万元，牧民人均纯收入1.7万元。2013年牧业年度牲畜头数1361头，其中繁殖母牛598头、

预成母牛242头、犊521头。该嘎查2012年被确定为自治区级新牧建设试点嘎查，先后获得盟级"先进基层党组织"、旗级"两转双赢先进集体"等荣誉称号。

创建美丽乡村是一项系统工程，为使此项工作全面有序展开，嘎查结合实际情况，确定了突出3个工作重点，扎实推进各项工作：一是加强生活区居住环境建设，改善嘎查集体办公场所，建设现代化新牧区嘎查；二是加强基础设施建设，调整优化畜群结构，积极转变畜牧业生产经营方式；三是增加收入来源，多种渠道实现增收。

今后，脑干哈达嘎查将按照中央1号文件和自治区"8337"发展思路，落实草畜平衡制度，优化畜群结构，转变生产方式，提升肉牛个体质量，积极以专业合作社、联户经营模式发展壮大肉牛育肥产业，将该嘎查建设成为全旗乃至全盟新牧区建设嘎查的典范，进一步推进区域新牧区嘎查建设步伐，将嘎查建成草原美丽乡村。

聚焦 8

环境整治型：
广西壮族自治区恭城瑶族自治县
莲花镇红岩村

红岩生态旅游新村位于广西壮族自治区恭城瑶族自治县南大门——莲花镇，距莲花镇政府 1.2 千米，离县城 14 千米，交通和通信十分便利。

红岩村全村 103 户共 408 人，以月柿种植、加工、销售及乡村特色生态观光旅游业为主导产业，耕地面积 1300 亩，人均种果 2.5 亩，水果产业人均纯收入 5000 元 / 年。自 2003 年首届月柿节以来，该村不断加大月柿标准化生产力度，完善村内硬件设施，丰富生态旅游内容，组建了红岩月柿生产协会和农家乐旅游协会，生态休闲观光旅游业蓬勃发展。2012 年该村以生态旅游为主的第三产业人均收入 7000 元，农民人均年收入达 1.2 万元，成为恭城瑶族自治县美化环境、美丽乡村、生态富民的典型，得到各方人士的赞扬和广大群众的认可。红岩村已构建成"生产发展、生活宽裕、乡风文明、村容整洁、管理民主"的社会主义新农村。

红岩村全貌

1 | 2 | 3
1. 红岩村农家别墅
2. 红岩村旅游水上项目
3. 红岩村特产——月柿

过去的红岩村，环境污染问题大，基础设施建设滞后，在当地农民群众对环境整治的强烈要求下，以环境整治型为主体的环境改善工作有效展开。围绕建设全国生态旅游休闲度假村的目标，通过边学、边查、边改的工作方式，通过挂牌接受监督的严格要求，积极启动生活污水处理系统建设工程，将红岩村建设成为广西第一个进行生活污水处理的自然村，为村里开展生态旅游业奠定了良好的基础。

2013年以来，红岩村结合农业结构调整，依托万亩月柿园风光，发展"农家乐"休闲旅游，提升了休闲乡村的档次，促进了农民就业增收。先后荣获了"全国农业旅游示范点""中国十大魅力乡村绿色家园""全国生态文化村""中国特色景观旅游名镇名村""中国村庄名片"等多个荣誉称号，是桂北大地的一颗璀璨夺目的生态休闲旅游明珠。

在建设美丽乡村方面，红岩村将继续以以下工作为重点：一是继续加大月柿标准化生产力度；二是规范生态休闲农家游，提高服务质量，促进生态休闲农家游健康发展；三是加强红岩村河流两旁清洁治理，加大清洁生产技术宣传推广，继续大力推行清洁家园环保模式。

如今的红岩村已经走上了一条以月柿生产为主业，发展农家乐旅游为特色的新路子。正是因为红岩村独特而优美的地理环境，加之大力进行环境整治，使得这个坐落在千亩月柿大果园里的小村子，成为了游客休闲度假的胜地。

聚焦 9

休闲旅游型：
贵州省兴义市万峰林街道纳灰村

纳灰村是万峰林环抱中的一个民族风情浓郁、田园风光优美的布依族村寨，距兴义市城区 12 千米，面积 6.8 平方千米，耕地面积 1656.8 亩，共有 9 个村民组，485 户农户，总人口 2173 人。纳灰村旅游资源丰富，住宿、餐饮、休闲娱乐设施完善齐备，交通便捷，距离城市较近。适合休闲度假，是休闲旅游型模式美丽乡村的代表。近年来获得"全国文明村镇""国家农业旅游示范点""农业部十佳美丽乡村创建模式示范村"等称号。

"纳"在布依族语言中是"水田"的意思，与布依族的关系非常密切。在这里居住的布依族、苗族、彝族等少数民族人口占总人口的 33.6%。布依族是"水稻民族"，喜居水边，纳灰人民居住在纳灰河两岸，具有典型的布依族特征。纳灰旅游开发极具优势，这里有中外探险者心驰神往的月亮洞天坑，垂直深度达 300 余米；有境内最高海拔的山峰——抱木山，登上此山可远眺广西；优雅恬静的石笋沟寨子，更是休憩疗养的好去处。

纳灰村是党中央和国务院长期关注的村庄之一，胡锦涛同志曾在这里与村民共度春节。新形势下，村民们在美丽乡村建设中，围绕"生产发展、生活富裕、乡风文明、村容整洁、管理民主"20 字方针，依托万峰林景区，狠抓特色农业、观光农业，大力发展乡村旅游，促进了农业增产、农民增收，推动了纳灰村的建设。

1 | 2
1. 峰林春色
   （刘贵兴 摄）
2. 纳灰村水田
   （陈剑平 摄）

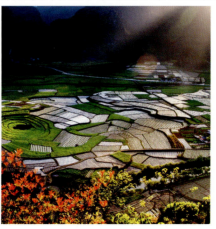

纳灰村全景（张霆 摄）

2013 年以来，纳灰村把农业增产、农民增收作为全村经济工作的出发点和落脚点，科学调整农业产业结构，仅每年的早熟作物及其经济果林的种植就为农户创收 180 余万元。同时加快了农业结构调整和推进农业产业化经营步伐，积极培育新的产业，农业增加值增长 10% 以上，农民人均纯收入增长 12% 以上。在村两委班子的带领下，纳灰村依托优美的自然景点、良好的乡村生态、淳朴的农家风情，着力发展旅游业，做活乡村农家乐，使乡村面貌发生了根本性变革。

围绕乡村生态游，村里开始创立了一家"农家乐"，纯朴的乡村风味受到周边城镇市民青睐。随着游人的日趋增多，生意红红火火，村里的"农家乐"越开越多。村里引导"农家乐"经营者规范运营，通过政策推动、部门联动、农民行动等多种形式，使纳灰村的"农家乐"成为了当地乡村旅游的品牌，延伸了乡村旅游的发展链条，不仅解决了村里 100 多人的就业，而且带动了村里有机种植、养殖业的发展。全村开发早瓜、胡萝卜等早熟蔬菜 300 多亩，年均收入 50 多万元；年出栏鸡 10 多万羽。至 2012 年底，万峰林景区年游客人数达到了 300 余万人，全村年收入 2000 多万元，一跃成为贵州省数一数二的小康村和示范村。

如今的纳灰村，400 余户村民住上了明亮、美丽的房子，民居和公共环境绿化美观，拥有民族双语小学、文化休闲广场、文化长廊及其村办公活动场所。这里的青年有道德、有素质、有文化、有技术，村民们过着欢乐、和谐、美满的田园生活。

聚焦 10

高效农业型：
福建省平和县文峰镇三坪村

三坪村位于福建省平和县文峰镇东北部，东邻龙海，南连漳浦，是平和县的东大门。这里森林覆盖率高、风景迷人，村民长期种植琯溪蜜柚、漳州芦柑、毛竹等经济作物。三坪村之美更在于其现代农业之美，全村以农业作物生产为主，农田水利等农业基础设施相对完善，农产品商品化率和农业机械化水平高，人均耕地资源丰富。全村共有山地60360亩，采用"林药模式"打造金线莲、铁皮石斛、蕨菜种植基地，并以玫瑰园的建设带动花卉产业发展。2013年，三坪村被漳州市委、市政府列为美丽乡村建设示范村，平和县委、县政府高度重视，按照漳州市"田园都市，生态之城"建设的部署和要求，把它作为推动全县美丽乡村建设的重要抓手，作为提

三坪村夜景

升全县高效农业的发展样板，作为建设社会主义新农村的优秀典范。

三坪村有座远近闻名的千年古刹——三平寺，是国家 4A 级风景区。相传为唐朝咸通七年（866 年）由杨义中禅师创建，寺庙的建筑富有唐、宋时期艺术特色，共有八大胜景供游人观赏。这里备受海外华侨、港澳台胞敬仰，寺院终年香火不断，游客络绎不绝，春节期间更是人山人海。

在美丽乡村建设中，漳州市结合三坪村经济、社会、环境发展的迫切要求，对村庄总体建设用地进行了合理布局，协调了村庄用地与景区用地的关系，形成互动发展的新格局；主导产业培育，走上了产业富村之路；利用三坪国家 4A 级风景名胜区品牌优势，大力发展第三产业和运输业，积极探索农家乐旅游和餐饮业，扩大了三坪风景名胜区的旅游影响力。

这些举措大大提高了村民的生产和生活质量，补充完善了配套公共服务设施和市政基础设施，发挥出三坪村的地理和资源优势。同时，村庄规划建设与环境保护互相协调，实现了生态建村。

三坪村生态建村模式起到了良好的示范作用，农业部全国美丽乡村培训班还特意来到三坪村，在三坪村广和堂金线莲种植基地、九八新村、黄陂整治村、浦口高效农业（蜜柚）示范基地、河滨休闲景观绿道工程等地展开调研、观摩。三坪村还通过开展中国"美丽乡村快乐行"、文化下乡等活动传播交流先进的生态建设方式、方法。

三坪村作为美丽乡村创建活动的示范点，积极打造农村环境整治工作亮点，不断推进环境整治工作，取得了明显成效。2013 年以来，三坪村在环境整治上共投入 1200 多万元，整治 8 个项目，使全村绿化率显著提高，完成了 1495 米的乡间道路硬化工程，建成了文化戏台、图书阅览室、文体活动操场等配套设施，满足了村民的基本公共服务需求。

党的十八大以来，三坪村因势利导，依据现有条件，提升已有基础，通过合理的规划编制，统筹资源环境，走出了一条美丽乡村特色化建设之路。

第四节
打造生态城市

2010年9月28日，首届中国国际生态城市论坛开幕，习近平同志在贺信中指出：中国高度重视生态环境和气候变化问题，创办以"生态城市创造和谐未来"为永久主题的国际论坛，旨在携手打造促进生态城市建设的国际合作交流平台，汇聚全球智慧，扎实推进人类社会可持续发展。

生态城市，是建立在人类对人与自然关系更深刻认识的基础上的新的文化观，是按照生态学原则建立起来的社会、经济、自然协调发展的新型社会关系，是有效利用环境资源实现可持续发展的新的生产和生活方式。

党的十八大报告将生态文明建设与经济建设、政治建设、文化建设、社会建设并列，构建"五位一体"的国家发展战略，提出建设"美丽中国"的目标。而城市在生态文明建设中的地位举足轻重。《生态城市绿皮书：中国生态城市建设发展报告（2014）》指出，"城市是生态文明制度改革的主战场"。基于相关指标体系并依据城市绿色发展的深度和广度，《生态城市绿皮书：中国生态城市建设发展报告（2012）》把生态城市建设分为初绿、中绿、深绿三个发展阶段。绿皮书认为，当前我国的生态城市建设已经全面启动，但相关制度机制还未规范成型，建设和发展水平相对较低，因此我国的生态城市建设还处于初绿阶段，需进一步改革、发展和深化。

绿皮书还提出了中国生态城市建设的思路和举措，要建立健全三大体系，即源头严防的城市生态保护制度体系、过程严管的城市生态保护制度体系、后果严惩的城市生态保护制度体系，构建生态城市治理体系；完善和运用三大政策工具，即命令控制性政策工具、经济刺激性政策工具、社会自愿性政策工具，加强生态城市治理能力；加快推进绿色城市建设，提升生态城市治理质量，树立绿色发展观，遵循绿色发展道路，构建绿色生产方式、生活方式和生态体系。

聚焦 *1*

北京:
奥运助力生态园林城市

北京中轴线航拍

北京,这个著名的历史文化名城,园林之多、之美,是国际公认的。在加强园林绿化、改善城市生态环境方面,近年来北京做出了不懈的努力,园林绿化事业取得了举世瞩目的成就,于1992年被国家建设部命名为"园林城市"。

北京园林最早始于金代,先后营建了西苑、同乐园、太液池、南苑、广乐园、北苑等皇家园林,并在郊外修建了玉泉山芙蓉殿、香山行宫、樱桃沟观花台以及玉渊潭、钓鱼台等。元代建立后,大规模兴建琼华岛并以琼岛为中心修建宫苑,成为北海、中海、南海三海连贯的水域,形成传统皇家园林格局。明代在西郊兴建清华园、勺园等,并修建了天坛、地坛、日坛、月坛、先农坛、社稷坛等祭祀园林。清代,是北京园林集大成时期,在清华园旧址上建起了"畅春园",并于其北面修建了圆明园、畅春园、绮春园;在瓮山修建了清漪园;在玉泉山修建了静明园;在香山以原大永安寺扩建成静宜园。位于北京市中心的故宫,始建于公元1406年,是明、清两代皇宫,

```
    2
1 ───
    3
```
1. 北京国家体育场
2. 北京天安门
3. 北京国家大剧院

也是中国现存最大、最完整的古建筑群，被誉为世界五大宫之一。规模浩大、面积广阔、建设恢宏、金碧辉煌的北京皇家园林，是世界园林的一颗闪亮的宝石，流连其间，不仅可以感受到多姿多彩的风景，还能寻找到历史前进的轨迹。

20世纪50年代，北京市整修开放了一大批公园景区，并结合治理城市环境将一大批废弃地建设成为公园。从1984年开始，调动全市人民绿化的积极性，推动北京市园林绿化建设蓬勃发展，建成了首都机场至石景山的百里长街、二环、三环等60条绿带和有树、有花、有草的林荫路及立交桥绿地。新建、扩建、改建了45处公园绿地，新增绿地面积750多万平方米，机关单位庭院绿化500万平方米。开发了石花洞、慕田峪长城等一批新的风景区。

2004年，围绕"绿色奥运"目标，通过提高市民的生态环境意识，积极创建生态社区，开创了城市园林生态建设的新局面，到2004年底，北京市绿化覆盖率达到41.91%，人均绿地面积为47.05平方米，人均公共绿地面积11.45平方米，城区绿化率达到了41.8%。

北京 CBD 夜景

　　2005年国务院批准的《北京城市总体规划（2004～2020年）》中明确提出，必须以建设世界城市为努力目标，不断提高北京在世界城市体系中的地位和作用。作为传统文化与现代文明交相辉映、具有高度包容性、多元性的世界文化名城，串联了故宫、皇家园林和奥运公园的北京中轴线整体保护建设，极大地推动了北京历史文化名城的保护，使人们重新审视中华传统文化的无限魅力，审视北京城市繁华的今日和壮美的未来。为申办 2008 年奥运会，北京建成了以"通往自然的轴线"为设计理念的奥林匹克公园，使北京城市中轴线延伸至26 千米长，在中轴线上，古代建筑与现代建筑如画卷般次第展开，古老文明与现代文明相互融合、碰撞，成为了一个人文与山水相融的整体。奥林匹克森林公园坐落于北京中轴线的北端，占地 680 万平方米，是北京市最大的城市公园，也是亚洲最大的城市绿化景观，北五环路横穿公园中部，将森林公园分为南北两园，连接两园的生态桥，是中国第一座城市内跨高速公路的人工模拟自然通道。奥林匹克森林公园，是北京中心地区与外围边缘组团的绿色屏障，也是一个以自然山水、植被为主的可持续发展生态地带，极大地改善了城市生态环境，充分体现了"绿色奥运、绿色北京"的宗旨。

2008 年奥运会之后，应北京经济社会进入新的发展阶段的要求，也作为北京城市环境建设的新举措，市政府决定在新城建设 11 座滨河森林公园。这是新中国成立以来北京历史上最大规模的绿化建设投资。

北京新城滨河森林公园占地总规模 10.7 万亩，相当于在城市森林现状基础上增加了 50% 的面积。新城滨河森林公园是以穿城或环城水系为主线，充分利用河道两侧河滩地和荒滩地，建设具有休闲服务功能的带状城市森林公园。最小的面积 5500 多亩，相当于 2 个玉渊潭公园，最大的面积 18000 多亩，相当于 4 个颐和园。在新城建设新城滨河森林公园，在城乡结合部建设郊野公园，在中心城因地制宜地建设城市休闲森林公园，北京市集中精力打造三级城市森林公园体系。11 座新城滨河森林公园，或如玉带，或似珠玑，散布在京郊大地。使新城绿化覆盖率提高 5 个百分点，绿地中城市森林比重从 35% 提高到 50%。同时，全市新增城市森林公园 10.7 万亩，每年实现碳汇 6 万吨。山区青山环抱，城区绿地环绕。

到 2015 年，北京将在原有的沿河、沿路绿化带基础上改建，串联沿线景点，建成京密引水渠绿道、清河绿道、西北土城绿道、昆玉河绿道和京藏高速绿道 5 条绿道，总长度约 94 千米。串起北京园博园、北宫国家森林公园、青龙湖公园的园博绿道，总长度 64.5 千米，总面积 143.67 万平方米，沿线建成城市骑行区、山地体验区等七大景观区域，成为集生态、休闲、景观为一体的城市绿色慢行休闲系统，努力将北京打造成为一个融合古今中外山水园林艺术，处处风景如画，具有优良生态的现代化都市。

聚焦 2

苏州：
鱼米之乡，乐居之城

在烟波浩渺的太湖之滨，有一座城市，她在青山碧水的怀抱中用诗情画意，奏响了人与自然的和谐乐章；她用古典园林的精巧，布局出美丽中国的版图；她用悠远绵长的运河，展示了古韵今风的共存——这，就是苏州。

上有天堂，下有苏杭。苏州，古称吴郡，地处江苏省南部，坐落于富庶的长江三角洲地区的地理中心，东临上海，西抱太湖，北依长江，背靠无锡，隔湖遥望常州，是中国首批国家历史文化名城，全国重点风景旅游城市，也是4个全国重点环境保护城市之一。苏州自文字记载以来已有4000余年的历史。苏州古城始建于公元前514年的吴王阖闾时期，又因城西南有山曰姑苏，于隋开皇九年（589年）更名为苏州。

苏州太湖渔阳山

苏州大运河枫桥

　　苏州，被誉为"人间天堂""丝绸之府""园林之城"。这座古城有着令人骄傲的历史，古城区至今仍坐落在原址上，为国内外所罕见。作为一座古老的水城，太湖五分之四的水域在其境内。大运河苏州段，包括从苏州与无锡交界的五七桥至江浙交界的鸭子坝，全长 82.35 千米。历史上的苏州城处在众湖环抱、河川纵横的水乡泽国之中，远山近水的城市格局不仅使得 2500 年来城址不曾改变，也造就了苏州城美丽的自然环境。从春秋建城开始，苏州城就逐步形成了"水陆平行""河街相邻""前街后河"的双棋盘格局。城河围绕城墙，城内河道纵横，家家临水，户户植柳，古典园林，造山借水，形成了以水为中心的，小桥流水、人家园林、幽深整齐的小街小巷以及城内粉墙黛瓦、星罗棋布的古典建筑和民居风格组成的美丽城市。众多的河流和湖泊为苏州城市发展和兴起提供了丰富的水资源，至今苏州的水资源仍堪称全国之最。

　　"小桥流水、粉墙黛瓦、古迹名园"是苏州独有的风貌。苏州古典园林蕴含着中国古代的哲学思想、文化意识和审美情趣，反映了人类对完美生活环境的执着追求，是人与自然和谐相处的典范之作。山水城市苏州，以水为核心始建城，在五代时逐渐向园林城市转变，至明清时成为城外山水城内园林的天堂之城。

苏州网师园

　　1996 年，苏州在全国范围内率先启动了城乡一体现代林业示范区建设，加快实施高速公路两侧生态防护林工程，实施了太湖、阳澄湖沿线绿化造林工程和湿地生态恢复保护示范工程，建成一批富有水乡特色的生态型城镇和村庄。2001 年苏州行政区划进行重大调整，将吴县市并入苏州市区，市区面积由 392.3 平方千米增至 1649.72 平方千米。同时，开发区的超常规发展使城市面貌有了质的飞跃。由园区、新区、吴中、相城和老城区构成的"五区组团"因此获得平行发展，迎来了苏州历史上的建设高潮。

　　2007 年苏州被住建部列为"创建国家生态园林城市试点城市"，苏州借此加大了城市绿化建设方面的投入，计划每年新增约 500 万平方米的城市公共绿地。"十一五"期间，以"四角山水"为重点，先后建成了一批"城市绿肺"公园，如苏州太湖湿地公园、三角嘴湿地公园、大白荡城市生态公园、沙湖生态公园等，这既是对苏州古典园林以"水"为灵魂的优良传统的延续与发展，又是打造现代"东方水城"的有效举措。同时，也建成了一批以"植物"为主题的专类园，如大阳山国家森林公园、白塘植物园、荷塘月色公园、相城花卉植物园、盛泽湖月季园等。

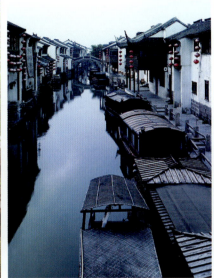

1 | 2 | 3
1. 苏州拙政园
2. 苏州古运河
3. 苏州吴中区东山镇
   陆巷古村

　　结合城市绿地系统规划，苏州着力推进中心城区公共绿地和周边风景防护绿地的建设，形成覆盖城市的绿色网络和城郊一体的绿化体系，加大重要生态功能区的保护力度，重视人工湿地的保护。高度重视和切实加强自然的植物群落和生态群落的保护，划定国家重点生物多样性保护区，维持系统内的物质能量流动与生态过程。至 2014 年，苏州建成区绿化覆盖率 42.5%，建成区绿地率 37.6%，人均公园绿地率 14.96%。同时将用 5~7 年的时间，建成张家港市—干河生态休闲观光带、南湖湿地公园等 21 座郊野公园，逐步形成生态作用明显的郊野公园群，在城市周边构建环境宜人的绿色生态空间。

　　和谐是苏州永恒的追求。在这里，人们与山水同呼吸，与花木共命运。在这里，人们亲水乐居，身心舒畅；游于绿地，青春健康；放飞山水，心旷神怡；创业生活，和谐发展。

聚焦 3

厦门：
海上花园，活力特区

厦门海滨风光

厦门是全国 15 个副省级城市之一，5 个计划单列市之一，享有省级经济管理权限并拥有地方立法权；既是中国最早实行对外开放政策的 4 个经济特区之一，又是 10 个国家综合配套改革试验区之一；是东南地区重要的中心城市，现代化国际性港口风景旅游城市。《中华人民共和国国民经济和社会发展第十二个五年规划纲要》及国务院批复的《厦门市深化两岸交流合作综合配套改革试验总体方案》明确提出，在厦门加快推进两岸区域性金融服务中心、东南国际航运中心、大陆对台贸易中心、两岸新兴产业和现代服务业合作示范区建设。

厦门市地处我国东南沿海——福建省东南部、九龙江入海处，背靠漳州、泉州平原，三面环海，气候温和，雨量充沛，冬暖夏凉，四季如春，是我国沿海最早开放的经济特区之一。因天地厚爱，造化钟鹭岛，百姓勤耕耘，使得天风海涛，青山绿水，奇花异卉，鸟语花香，海水、沙滩、阳光、红花、白鹭是厦门的天然名片。全市土地面积 1565 平方千米，其中厦门岛土地

1	2
3	4

1. 厦门集美学村
2. 厦门白鹭洲
3. 厦门环岛路
4. 厦门夜景

面积 133 平方千米，鼓浪屿 1.9 平方千米，海域面积约 390 平方千米。

　　厦门依托山、海、岛屿等自然地理条件建设城市，山海自然景观特征显著。在人工风貌方面，包括了传统的闽南风格、嘉庚风格、南洋风格和鼓浪屿风格，体现了厦门历史特有的城市识别性、渊源和地域文化，与自然景观共同营造出具有温润本土特色、滨海地域风情的城市整体风貌。

　　厦门城市发展自同安开始，到鼓浪屿、厦门岛再回归到岛外新城，城市演变轨迹独特，历史跌宕起伏，在"大陆－海岛－大陆"的发展轮回中，展示了一幅积淀百年的美丽画卷。在改革开放 30 多年的历史进程中，厦门从一个封闭的海岛前线小城发展成为一座生机勃勃的现代化滨海城市。作为五口通商口岸之一，厦门是近代新兴的海港风景城市，更是多元荟萃、对外开放的海洋文明代表。旧城的骑楼建筑、集美学村和厦门大学的嘉庚风格建筑，乃融汇了东南亚侨乡风情的代表；鼓浪屿的"万国租界"建筑极具异国情调，而闽南特色建筑代表——闽南大厝，则为人们开启了一扇扇充满温暖记忆的大门。历史文化传统和现代城市气息交融，使厦门具有多元融合的中西文化特征。

1980 年设立经济特区，1989 年后相继获批成立海沧、杏林、集美台商投资区。2002 年 6 月，时任福建省省长的习近平在厦门调研时提出了"提升本岛、跨岛发展"战略，并要求坚持"四个结合"：提升本岛与拓展海湾相结合、城市转型与经济转型相结合、农村工业化与城市化相结合、凸显城市特色与保护生态环境相结合，明确了厦门在 21 世纪的发展方向。2011 年，国务院批复厦门作为深化两岸交流合作综合配套改革试验区，使厦门成为新时期的"活力新特区"。

厦门拥有 237 千米长的海岸带，海域十分辽阔，由东海湾、西海湾和海门湾组成。星罗棋布的大小岛屿，分布在鼓浪屿—万石山国家重点风景名胜区，香山和北辰山省级风景名胜区以及天竺山、莲花山国家森林公园，"天风海涛""万石涵翠"等著名景点更是享誉中外。因海湾分割，视域范围内的天马山、天竺山、蔡尖尾山、仙岳山、万石山互相绵延，互相对峙，分别向厦门海域和串珠般的小岛屿伸展，自然形成了宛如"众星拱月"般的环海布局，几乎每个山脉间都有海湾或湖泊。城在海上、海在城中、山海相连、城景相依是厦门有别于其他滨海城市的特色所在。最为著名的"绿色通道"非环岛路莫属，它将道路、植被、沙滩风情、园林小品及厦门本土文化融合为一体，环绕整个岛内，联系着岛内与岛外的交通。环岛路全程 31 千米，为双向六车道，是厦门市环海风景旅游干道之一，西起厦大胡里山炮台，东至厦门国际会展中心，于 1999 年 9 月 30 日正式贯通，沿途大海、沙滩、彩色路面、青草、绿树构成一条海滨度假休闲走廊。近 47 万平方米的绿化面积充分体现了亚热带风光和厦门的地域特色，形成了一条集旅游观光和休闲娱乐于一体的滨海走廊。而素

厦门中山公园

以"海上花园"美称享誉中外的国家级重点风景名胜区鼓浪屿，与市区隔鹭江相望，岛上岗峦起伏，错落有致。形成了张弛有致、极富韵律的"山海相融"的景观特色和"处处显山见海"的城市意象，山与海、岛与湾、沙滩与林地、自然与人文浑然一体，构成了城市美丽的生态画卷。

近年来，厦门城市建设在迅速发展的同时，因其对环境、生态和可持续发展的重视，因其强调人与自然的和谐统一，先后获得"国家卫生城市""国际花园城市""国家环保模范城市""中国优秀旅游城市""2002年国际花园城市""中国人居环境奖""国家园林城市""2004年联合国人居奖"等荣誉称号。

聚焦 4

昆明：
国家历史名城，人文宜居春城

昆明石林

昆明，云南省省会，首批国家级历史文化名城。云南省唯一的特大城市和我国西部第四大城市，是云南省政治、经济、文化、科技、交通中心枢纽；是西部地区重要的中心城市和旅游、商贸城市之一。昆明是国家一级口岸城市，滇中城市群的核心圈、亚洲5小时航空圈的中心，中国面向东南亚、南亚开放的门户枢纽，中国唯一面向东盟的大都市。昆明夏无酷暑、冬无严寒、气候宜人，为典型的温带气候，城区温度在0 ~ 29℃，年温差全国最小，这种全球极少有的气候特征使昆明以"春城"而享誉中外。

昆明市，地处云贵高原中部的滇池之滨，依山面水而建，是典型的高原型山水城市，总体地形北高南低，中部隆起，东西两侧较低，东西北三面由金马山、碧鸡山、长虫山环绕，与城内五华山、圆通山、云大山遥相呼应；纵贯城区的盘龙江、金汁河、宝象河、马料河、大观河、白沙河向南注入滇池，形成典型的青山半入城、六脉皆通海的山水城市风貌。

昆明城，始于公元前 277 年庄蹻入滇，经汉、唐、宋、元、明、清数朝，到辛亥革命推翻封建帝制，历代各地方政权均在昆明建制设都。从公元 13 世纪起，昆明便成为了云南政治、经济、文化中心，是我国内地连接东南亚古南方丝绸之路的枢纽和

昆明翠湖

通道，历经 2400 多年成为云南省省会、特大城市，主城区面积由最初的 3 平方千米扩大到现在的 200 多平方千米。在这块神奇、美丽的红土地上，聚居着 26 个民族，为人类流传下了形态各异、丰富多彩的民族文化遗产。

她拥有世界地质公园、世界自然遗产、国家 5A 级旅游景区的石林奇观，规模宏大的国家级风景区九乡溶洞群和浩渺滇池；金殿、棋盘山、钟灵山、小白龙等国家级森林公园；著名的昆明世界园艺博览园和体现少数民族风情的云南民族村等园林胜地；南盘江、阳宗海、轿子雪山等诸多迷人景观。每到冬天，翠湖公园、海埂公园和滇池岸边，海鸥与人同戏，天地和谐相处，构成了昆明一道靓丽的风景线。独特的地理、人文和历史环境，造就了昆明独一无二的城市个性。美丽的自然风光、灿烂的历史古迹、绚丽的民族

1	2
3	4

1. 昆明九乡溶洞群
2. 昆明世博园
3. 昆明滇池
4. 昆明海东湿地

风情，使昆明跻身为全国十大旅游热点城市，首批进入中国优秀旅游城市行列，成为全国最有魅力的城市之一。

1999年，昆明市提出了建设生态城市的目标，中共昆明市委、市政府以世博会为契机，狠抓城市生态建设，经过几年的努力，使昆明的生态环境得到了极大改善，昆明城市基础设施和生态建设都取得了显著的成绩。2003年，云南省委、省政府做出了建设"现代新昆明"的重大战略部署，此后，绿色生态一直是昆明城市建设的核心主题。围绕滇池发展城市，进行环湖新区建设，依托这颗"高原明珠"利用便捷发达的环湖交通，把城市、山水、历史文化、风景名胜古迹等有机地连接在一起，使山湖在城中，城在山水中，城市建筑和山水园林融为一体，充分显现了历史文化名城、山水园林城市、高原湖泊生态城市的魅力和特色。

昆明民族村

2008 年以来，昆明生态城市建设步入快速轨道。创建国家园林城市、国家卫生城市、国家环保模范城市、全国文明城市，争取联合国人居城市奖和国家生态城市的工作为昆明营造优质的人文宜居城市打下了良好的基础，形成了比较完备的城市森林生态体系，森林覆盖率达到 48%。

2008 年昆明市提出，通过 5~10 年的努力，将以人为本、以民为主的现代新昆明建设成为以"一湖四环""一湖四片""一城四区"为载体，以人的现代化为核心，以生产方式和生活方式进步为标志，三大板块协调发展，集湖光山色、滇池景观、春城新姿，融人文景色和自然风光于一体的森林式、环保型、园林化、可持续发展的高原湖滨特色生态城市。

聚焦 5

桂林：
山水甲天下，梦想怡人居

桂林是世界著名的风景游览城市和历史文化名城，是广西壮族自治区最重要的旅游城市，享有"山水甲天下"之美誉。桂林位于广西壮族自治区东北部，湘桂走廊南端，东、北与湖南省相邻。桂林市境内有湘桂铁路与漓江纵贯，贵广高铁横穿全境，另有 321、322、323 三条国道穿过。地处东经109°36′~111°29′、北纬24°15′~26°23′，平均海拔150米，北、东北面与湖南省永州市交界，西、西南面与来宾市相连，南、东南面与梧州市、贺州市相连。桂林市属山地丘陵地区，为典型的"喀斯特"岩溶地貌，遍布全市的石灰岩经亿万年的风化侵蚀，形成了千峰环立、一水抱城、洞奇石美的独特景观。

桂林城市风光

　　桂林，首批国家级历史文化名城和国家重点风景名胜区，兴起于西汉元鼎六年（公元前 111 年）平定南越建置的始安县县治城市，历经数百年的发展至唐武德四年 (621 年) 置桂州总管府，号称桂府；至德二年 (757 年) 改始安县为临桂县；绍兴初，升桂州为静江府。洪武五年 (1372 年) 改静江府为桂林府，桂林城市名称始于此。今桂林城址最早可以追溯到唐武德五年 (622 年) 在独秀峰南侧所修"衙城"。城以"独秀峰"为靠山，其城市的中轴线正对"独秀峰"。此后，在公元 886 年增筑外域和夹城，至北宋留下了著名的摩刻《静江府城池图》于城北寿星山南麓。明初增筑南城，使城区南达宁远门，面积扩大到 3 平方千米以上。唐宋南门外的护城河经开挖疏浚，形成城内开阔的湖面。历经宋、元、明三代的规划与建设，桂林成为了政治与经济文化都会、军事重镇和交通枢纽。城内，叠彩山、伏波山、象山、七星山、西山、南溪山、光明山、穿山等数十座石山平地拔起；城区周围，千峰环野耸立；登高远眺，"江作青罗带，山如碧玉簪"，峻拔多姿的孤峰山体及寺庙、桥涵、石刻等文化遗产，与桂林城市有机联系，形成甲天下的桂林山水，城在景中，景在城中，城景交融，城市建

1	2
3	4

1. 桂林龙胜梯田
2. 桂林日月双塔
3. 桂林象鼻山
4. 桂林夜景

桂林山水

筑景观与自然山水融为一体，显示了桂林的古老文化风韵。

新中国成立以来，桂林坚持山水依托，加快公园建设，拓展城市绿地，提升城市中心区生态环境，城市园林建设取得了显著的成绩。1999年，桂林市政府提出了建设桂林市环城水系的构想，将桂林市中心区的漓江、桃花江、榕湖、杉湖、桂湖、木龙湖贯通，即"两江四湖"工程。这是桂林历史上最大的生态工程，它从根本上改善了桂林市的人居生态环境，完善了城市功能。城市绿地面积发展到2528.99万平方米，城市绿化覆盖率达到42.41%，城市绿地率达到38.01%；森林覆盖率由2005年的66.46%升至2014年的69.15%。西部有著名的西山公园和芦笛岩风景区，城市东部有七星公园；东北郊的尧山风景区，森林面积已达1195万平方米；城市西南郊为龙泉国家森林公园；城市南面是奇峰景区，青山绿水间点缀着绿色的军营；城市北面是万顷良田和绿色的沙洲。漓江蜿蜒穿越市区，两岸的许多地段已进行了精细的绿化和美化。建于20世纪80年代长20千米的环城公路已全程植树绿化，犹如一条绿色的项链环绕着桂林城，美丽壮观。市中心最大的漓江洲岛建设集生态、文化、休闲、运动为一体的訾洲公园，重现了"訾洲烟雨"和"訾洲红叶桂林秋"的胜景，以此构筑完整的城市景观视廊，发挥绿廊导风和城市"绿肺"的作用。2012年新建成的以"山水桂林，秀甲天下"为主题的桂林园博园，总投资7.5亿元，占地93.33万平方米，汇集广西各城市园林精粹，展现了"绿色生态，人文和谐"的绿色新篇章。市区首条专门为健身休闲而设计建造的绿道，于2013年在桃花江旅游度假区内建成贯通，环形绿道从鲁家村出发，一路往芦笛景区延伸，绿道沿江而走，依山就势，道旁种有樱花、柳树、二乔玉兰、秋枫等，每个季节，漫步在此都能感受到不同的花景和绿景。"青山环野绿，一水抱城流"的传统山水城市景观特征，在桂林得到了很好的延续。

1991年，桂林市被评为广西壮族自治区绿化先进城市；1994年被评为全国园林绿化先进城市。2011年，桂林市通过了住建部组织的创建国家生态园林城市专家考核。近3年来，桂林市通过给城市道路添绿、给老城区添绿、城市滨水绿地建设等方式，在国家园林城市建设工作中取得了不少成效，市民更是在创建过程中切实感受到生态和生活环境的改善。

桂林两江四湖之一

聚焦 *6*

青岛：
面向世界的低碳港口城

青岛是面向世界的国内重要区域性经济中心，东北亚国际航运中心，国际滨海旅游度假胜地，国际著名港口城市，国家历史文化名城，中国优秀旅游城市，国家园林城市。青岛位于山东半岛西南端、黄海之滨，东北与烟台市毗邻，西与潍坊市相连，西南与日照市接壤。青岛是副省级城市和全国5个计划单列市之一。青岛是中国举办大型赛事和国际盛会最多的大都市之一，2008年北京奥运会、残奥会和2009年济南全运会分赛场均设于青岛，2013、2014年连续两届世界杯帆船赛、2014年世界园艺博览会也在青岛举办。"海上都市，欧亚风情"，是青岛城市特色的真实写照。

青岛西临胶州湾，东依崂山山脉，北接胶东平原，南滨黄海，山海形胜，

青岛滨海全景

青岛八大关

腹地广阔。青岛地区的历史可以追溯至新石器时代晚期，唐宋时期经济文化有
所发展，自明代成为海防要塞。因优越的自然条件和地理位置，清光绪十七年
（1891年）清政府在胶澳设防，青岛由此建置，并发展为一个繁华的市镇。
1897年，德国租占胶澳。1922年，中国收回胶澳，开为商埠，设立胶澳商埠督
办公署，直属北洋政府。1945年，国民党政府在美国支持下接收青岛。1949年，
青岛解放，改属山东省省辖市。20世纪90年代初，东部新区五四广场上的大
型城市雕塑"五月的风"成为新青岛的标志。百年的风雨岁月，城以港兴、港
以城旺、山海一体、港城相融，积淀了丰厚的文化底蕴，展现了独具特色的港
城魅力。

在城市绿化中，青岛加强城市园林建设，鼓励植树造林，按照点、线、面
结合，绿化建设与改造统一的原则，高标准打造了92个公园、小游园和绿地。
在市区绿化建设了城阳区白沙河运动主题公园、天后宫广场绿地、崂山枯桃果
艺生态园、城阳国学公园等公园和绿地，唐岛湾湿地公园列为国家级湿地公园
试点；青岛滨海一线有栈桥公园、小青岛公园、鲁迅公园及水族馆、小鱼山公
园、汇泉广场及第一海水浴场、八大关、太平角、音乐广场、五四广场、海洋
娱乐城、雕塑园、石老人海水浴场等一大批以突出海滨景观为主的著名景点。

青岛奥帆中心

全市每年新增造林面积13万亩以上，其中，面积达1万平方米以上的就有62处，有效增强了森林碳汇能力。在旧城改造中，青岛进一步更新观念，改以往的见缝插绿为规划建绿，通过旧城改造腾出地块进行绿化，还绿于民，绿化建设了八大峡广场、银都花园、金水桥公园、侯家庄中心公园等游园和绿地广场，这些游园和绿地广场通过旧城改造建在人口密集的居住区，使绿化更加贴近群众，成为改善市民生活质量的"惠民工程"。通过近几年的持续建绿，青岛的城市绿化总体水平有了明显提高，共完成新造林29.01万亩，使全市森林覆盖率达到了39.4%，建成区绿化覆盖率44.7%，人均公园绿地面积14.6平方米；全民义务植树尽责率达92%。2005年青岛八大关被《中国国家地理》评选为中国最美的五大城区之一，2007年青岛成为中国唯一入选"世界最美海湾"的城市。2008年青岛成功举办第29届奥运会帆船比赛成为奥运之城，被誉为"世界帆船之都"；荣获"2012中国最佳休闲城市"称号、2012年中国十佳宜游城市，并于2012年获批为第二批国家低碳城市试点。

| 1 | 2 |
| 3 | 4 |

1. 青岛前海
2. 青岛世园会
3. 青岛市区建筑
4. 青岛湾

作为世界第七大港口和山东省第一个低碳试点城市，青岛有着丰富的太阳能、风能、海洋能、核能、生物质能等新能源和清洁能源。"十二五"期间，青岛围绕建设绿色青岛和低碳城市的总目标，实施了包括森林建设工程、森林抚育工程、湿地保护和建设工程、陆地水系生态建设和保护工程、近岸海域生态建设和保护工程、森林城市建设工程、农村生态建设工程、林业产业工程、生态建设保障工程、生态文化工程十项生态建设工程。计划到 2015 年，生态环境整体状况得到提升，森林覆盖率达到并稳定在 40% 以上，森林蓄积达到 1082 万立方米，森林碳储量达到 1980 万吨以上，建成区绿地率、绿化覆盖率分别达到 40%、45% 以上，初步形成资源节约型和环境友好型的社会保障体系，把青岛建设成为生态文明繁荣、生态良性循环、环境洁净优美、人与自然和谐相处的宜居城市，面向世界的低碳生态港口城市。

聚焦 7

三亚：
永远的热带度假天堂

三亚湾风光

　　三亚位于海南岛的最南端，是中国最南部的热带滨海旅游城市，全国空气质量最好的城市，全国最长寿地区（平均寿命80岁）。三亚市别称鹿城，又被称为"东方夏威夷"，位居中国四大一线旅游城市"三威杭厦"之首，它拥有全海南岛最美丽的海滨风光。东邻陵水县，西接乐东县，北毗保亭县，南临南海。聚居有汉、黎、苗、回等20多个民族。美丽的三亚市是中国通向世界的门户之一。三亚是海南省南部的中心城市和交通通信枢纽，是中国东南沿海对外开放黄金海岸线上最南端的对外贸易重要口岸。天之涯，海之角，浪漫三亚不遥远。天蓝、海碧，阳光醉人；沙滩、椰林，风情醉人。三亚，永远的热带度假天堂，永远的梦中情人。

三亚，我国最南端的一座美丽的多民族热带海滨城市，是我国唯一的热带滨海风景城市和国际著名的滨海度假胜地，终年温暖，具有独特而美丽的自然生态景观。三亚历史悠久，落笔洞发现的"三亚人"遗址是目前已知海南岛最早的人类居住遗址，秦始皇时期，为南方三郡之一——象郡；宋代时期为我国最南端的州郡，因其远离京城，孤悬海畔，自古以来一直被人称为"天涯海角"；汉代在此设立了珠崖郡，隋代设临振郡，唐代改称振州，明清改为崖州，民国时期为崖县。1954年崖县政府迁至三亚，1984 年批准设立三亚市。

三亚鹿回头

这个城市，有着耐人寻味的历史遗迹和得天独厚的自然旅游资源，具备现代国际度假旅游的五大要素：阳光、海水、沙滩、绿色植被、洁净空气；拥有河流、港口、岛屿、温泉、田园、民族风情、热带动植物资源。传播佛教文化的南山文化旅游区，伴着不息涛声的历史名人雕塑群的天涯海角，诉说"鹿回头"美丽爱情故事的鹿回头山顶公园，"东方夏威夷"亚龙湾，"水暖、沙白、滩平"的避寒胜地大东海，"椰梦长廊"的三亚湾，有着神秘浪漫蜈支洲岛的海棠湾，富有历史魅力的崖州湾……文化和自然的完美结合更增加了三亚深厚的底蕴。

三亚有着丰富的热带森林资源。全市现有自然保护区 8 个，自然保护区面积 12618.9 万平方米，林地面积 1360 平方千米，森林蓄积量为 430 万立方米，热带林木 1500 多种。在大片热带雨林中栖息着 300 多种珍禽异兽。

1	2
3	4

1. 三亚凤凰岛
2. 三亚亚龙湾热带
   天堂森林公园
3. 三亚蜈支洲岛
4. 三亚海棠湾

这座山、海、湾、河、城巧妙组合的度假天堂，三面环山，北有抱坡岭，东有大会岭、虎豹岭和狗岭，南有南边海岭，山岭绵延起伏，如绿色屏障；海上的东西二岛为宽阔的海面增加了层次；流经三亚市区的主要河流——三亚河，全长31千米，自北向南流经市区注入三亚港入海，是许多水生动物、鸟禽生长和繁殖的良好场所，也是三亚市最具特色的自然资源。东西两条河穿过市区，岸线曲折多变，水网纵横交错，两岸自然生长的红树林绿影婆娑，水鸟飞弋，鱼跃锦鳞，呈现一派山峦叠翠、碧波荡漾、椰林掩映的旖旎风光。

自1984年5月撤县设市以来，从一个不起眼的海滨小渔村，逐步发展成为誉满全球的热带度假天堂，三亚发展的起点、支点和亮点都是以自然生态环境为依托。1992年，三亚被评为全国生态示范区、全

三亚天涯海角

国园林城市；2000 年获得首批"全国生态示范区"称号。全市人工造林面积
56 万平方米，森林覆盖率 68.0%，城市建成区绿地率达 41.6%，绿化覆盖率达
45.3%，人均公共绿地面积达 18.96 平方米。生态示范区建设的 10 年来，三亚
城市面貌发生了巨大的变化，城市管理水平和旅游服务水平不断提高，先后获
得了"中国人居环境奖""全球绿色生态城市""全国生态示范区""中国十
大休闲城市""全国卫生城市"等荣誉称号。

聚焦 8

西安：
十三朝文明古都，二十一世纪绿色家园

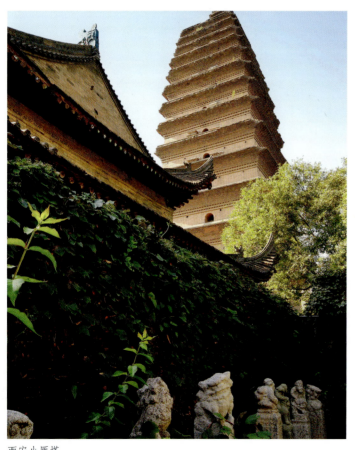

西安小雁塔

西安，古称长安、京兆，是举世闻名的世界四大文明古都之一，居中国四大古都之首，是中国历史上建都朝代最多、影响力最大的都城，有着7000多年文明史、3100多年建城史和1100多年的建都史，与雅典、罗马、开罗并称世界四大文明古都，是中华文明和中华民族的重要发祥地，丝绸之路的起点。地处中国陆地版图中心，是长三角、珠三角和京津冀通往西北和西南的门户城市与重要交通枢纽，西安北濒渭河，南依秦岭，八水环绕（渭、泾、沣、涝、潏、滈、浐、灞），自然景观优美。西安是中华文明的发祥地、中华民族的摇篮、中华文化的杰出代表，是联合国教科文组织最早确定的"世界历史名城"和最早公布的国家历史文化名城之一，是世界著名旅游胜地。

西安，被誉为"天赐厚土，风水宝地"，南依秦岭北脉，背靠渭北荆山的黄土台塬，东起零河和灞源山地，西到黑河以西的太白山地及青华黄土台塬。她，是十三朝的文明古都，也是中国历史上建都时间最久、历史

西安广运潭

影响最大的城市。秦岭的生态屏障和水源滋养，形成了八百里秦川的良好季节和气候环境，孕育出周秦汉唐这四个朝代的繁华盛世和宜人的环境。光辉灿烂的华夏文明发祥于这座闻名世界的历史文化名城——早在 100 多万年前，人类的祖先——"蓝田猿人"就在这里披荆斩棘，繁衍生息，创造了最初的人类文明。"长安自古帝王都"，公元前 11 世纪，西周王朝建都丰、镐，揭开了西安千年古都的历史大幕，此后，秦、汉、晋、隋、唐等十多个王朝均建都于此，在中国乃至世界的文明史上占据着极其重要的地位。特别是周秦汉唐时期，四海归一，国力鼎盛，在中国历史的长河中闪耀着绚丽夺目的光芒。唐代以后，全国政治、经济、文化重心东迁南移，但西安仍是西北的军事、行政重镇。在近代，西安作为陕西首府，一直保持着全省政治、经济、文化的中心地位。

　　西安，自然风景资源丰富。境内秦岭山区悬崖峭壁，巍峨挺拔，层峦叠翠，群峰竞秀，多名山、温泉、瀑布、峪口、溪流；川道平原田畴沃野，坦荡舒展，田园秀丽，多姿多彩，间有湖沼水面，富于诗情画意。"关中八景"中位于西安境内的有"滻柳风雪""草堂烟雾""雁塔晨钟""骊山晚照""太白积雪""曲江流饮"六处。现有著名旅游景点200多处，其中闻名中外的有秦始皇兵马俑博物馆、华清池、秦始皇陵、大雁塔、大慈恩寺、小雁塔、碑林博物馆、陕西历史博物馆、半坡博物馆、八路军办事处、青龙寺、钟楼、鼓楼、明城墙、清真大寺、楼观台、秦岭北麓等，自然风景资源与历史人文景观相互交融。

西安市园林绿地的选址和建设基本是在历史遗迹上建设起来的，延续了一定的城市历史空间格局关系，建成了一批具有古城风格的公园。"八水绕长安"的浐河、灞河这两条古老的河流，从远古流向今朝，河水充盈，风景优美，自古有舟楫之利，为长安水上交通要道。而现今东部的"广运潭"，西部沣河的昆明湖，南部唐都遗址的曲江池，北部屹

1	2
3	4

1. 西安灞河
2. 西安兵马俑
3. 西安大雁塔
4. 西安高新区

立的汉城团结库和中部清朝护城河则更加凸显了古都恢弘的山水格局。从世界园艺博览会至今，城市新增园林绿地 6937 万平方米，年均新增 2300 万平方米，建成区园林绿地总面积增加了 3895 万平方米。全市已建成公园 80 个，街头绿地小广场 632 个，建成道路绿化普及率和达标率均为 100%。城市绿地分布合理、植物多样、景观优美，形成了以庭院、单位绿化为点，以道路、铁路绿化为线，以公园、广场绿地、大遗址保护区为面，以城郊林带和绕城林带为环，点、线、面、环相衔接的三季有花、四季常绿的城市综合绿地系统；完成造林面积 60.15 万亩，建成了山区、平原、城市绿化三道绿色生态屏障。西安园林绿地的建设不仅着重体现在对数量、质量及历史文化的传承上，还体现在绿色理念的建设上。2011 世界园艺博览会在建设中始终贯彻了"城市与自然和谐共生"的主题，创意自然，恢复生态，加强环境保护，它的举办带给了西安一场绿色盛宴，彰显了古都追求绿色新梦想，建设生态家园的执着和努力。2014 年西安城墙南门区域综合改造工程，是西安市委、市政府又一保护历史文化、优化城市生态环境、提升城市功能的重大决策。迄今为止，西安共有一星级绿色建筑 25 个，二星级绿色建筑 12 个，三星级绿色建筑 8 个。

今日的西安，正在向宜居宜业的古都绿色新家园迈进，实现城市现代化和历史文化遗产保护和谐共生，成为西部发展绿色人居的示范和领跑者。

聚焦 9

香港：
中西方文化交融与自然共生之地

香港城区

香港是全球闻名遐迩的国际大都市，是仅次于伦敦和纽约的全球第三大金融中心，与美国纽约、英国伦敦并称"纽伦港"。香港是中西方文化交融之地，是全球最安全、富裕、繁荣的地区之一，也是国际和亚太地区重要的航运枢纽和最具竞争力的城市之一，经济自由度指数高居世界前列，有"东方之珠""购物天堂"等美誉。香港地处中国华南，珠江口以东，与广东省深圳市隔深圳河相望，濒临南中国海。1840 年之前的香港还是一个小渔村。1842~1997 年间，香港沦为英国殖民地。第二次世界大战后，香港经济和社会迅速发展，成为一个富裕、发达和生活高水平的城市，20 世纪 80 年代成为"亚洲四小龙"之一。1997 年 7 月 1 日起，中国对香港恢复行使主权。香港实行资本主义制度、"港人治港"的政策，享有独立立法、司法、行政权及免向中央缴纳财税和自由贸易税等大量优势，以廉洁的政府、良好的治安、自由的经济体系及完善的法治闻名于世。

香港夜景

　　香港地处我国南部海疆，广东省珠江入海口处，地理环境优越，扼太平洋与印度洋航运之要冲，与世界各地均保持着密切的贸易联系，是我国通往世界各地的南大门。香港古代文明的发展有着悠久的历史。考古学者发现的大量出土文物和人类活动遗迹表明，大约6000年前，在新石器时代，已有人类在香港地区居住。香港地区和广东大陆的古代文化具有极其密切的联系，同属一个文化系统，并且受到中原文化强烈地影响。

　　1997年7月1日，香港回归祖国，结束了156年的英国管治，成为我国的第一个特别行政区，实行"一国两制""港人治港"的高度自治。由于特殊的地理位置、历史和典型的山地丘陵地貌，香港的城市发展有其独特的个性。目前香港全境面积约1104平方千米，分为香港岛、九龙和"新界"三大部分，人口约718万人。香港岛和九龙半岛分别位于维多利亚港南北两岸，沿岸两侧为香港繁华的都会区。香港岛为全港第二大岛，连同邻近小岛，面积共79平方千米。港岛北岸，为沿维多利亚港的狭长带状低平地，著名的中环、湾仔等商业、金融区即位于此，它们既是香港的商业、金融中心，也是香港城市空间形态特色最突出的表现地段。九龙位于新界南侧，指九龙半岛界限街以南部分，包括九龙半岛和新九龙两部分，连同其西面的昂船洲小岛，面积约47平方千米。九龙是香港对外交通的中枢地带，也是香港人口密度最大的地区。九龙半岛的尖沙咀、油麻地、旺角等地已建设成为香港的另一个商业中心。新界包括新界本土和离岛两部分，面积共约794平方千米，是香港面积最大的部分，约占香港土地总面积的92%。新界过去一直是农业区，20世纪70年代以来，成为新市镇建设和工业发展的重点地区，以及海运业的新兴地区。香港的主要工厂、货仓码头、水塘、菜地、郊野公园、旅游胜地等也大都位于新界。自1841年开埠以来，香港一直处于全球资本主义市场的经济体制之下，是一个以市场经济为主导的社会。香港的城市建设和发展都围绕这一经济主体服务，从而构建了香港独特的城市形态和空间特色。多中心、组团式的城市结构形态使得高密度的人

1	2
3	4

1. 香港维多利亚港夜景
2. 长港长洲岛
3. 香港太平山
4. 香港中环

香港城市建筑

工建成区融于生机盎然的自然风光中，一方面提高了城市的发展强度，改善生态环境，另一方面使得各组团便于管理和建设，促进了城市区域空间的整体发展。香港城市的发展中填海造地所增加的城市用地，多用于发展商业和兴建城市公共绿地。

香港境内 1104 平方千米的土地，有超过 70% 的面积属于郊区。二战的影响及战后移民潮的涌入，对当时的郊野环境造成了一定的破坏。政府为保护及发展郊区，在 20 世纪 60 年代中期对建立自然保护区体系进行了评估，并在 1976 年通过了《郊野公园条例》。郊野公园遍布全港各处，范围包括风景宜人的山岭、丛林、水塘和海滨地带，约 40% 的香港土地是郊野公园湿地、雀鸟保护区、市区及海岸公园，还有生态保育项目，构成了丰富的动植物资源。集自然保护、教育及旅游于一体的香港湿地公园占地 61 万平方米，展现了香港丰富多样的湿地生态系统，结合怡人的湿地天然环境和精彩的展览，让人们认识和体验生境的奇妙之处。

作为一个国际性的自由港口，东西方文化在香港相互交汇、融合。在园林建设上，因地制宜的造园设计，使园林的生态效益和社会效益都得到了充分的发挥，反映出不拘一格，富有创新的个性。

聚焦 10

拉萨：
世界屋脊上的可持续发展明珠

拉萨，为西藏自治区首府。海拔 3650 米，拉萨河流经此，在南郊注入雅鲁藏布江。拉萨历来是西藏全区政治、经济及文化的中心，也是藏传佛教圣地。作为国务院首批公布的 24 座历史文化名城之一，拉萨以风光秀丽、历史悠久、文化灿烂、风俗民情独特、名胜古迹众多、宗教色彩浓厚而闻名于世，被评选为"中国优秀旅游城市"之后，2005 年被"中欧国际旅游论坛"评为"欧洲游客最喜爱的旅游城市"，2006 年又入选全国 30 个避暑之都，排名第 12 位。2011 年 12 月被评为全国文明城市。2012 年入选"2012 年度中国特色魅力城市200 强"。2012 年 12 月 20 日中国社会科学院发布《公共服务蓝皮书》称，拉萨市市民安全感最高，为中国最具安全感城市，同时被称为"日光之城"。

拉萨，藏语意为"圣地"，位于祖国西南边陲、世界屋脊青藏高原中部、雅鲁藏布江支流拉萨河中游河谷平原，是世界上海拔最高的城市和中国历史文化名城。

独特的自然环境，孕育了悠久的西藏文化。旧石器时期，西藏高原就有人类的活动。新石器时期，昌都、拉萨、山南、林芝、那曲都留下了先民的生活足迹。公元前五世纪前后，象雄文明兴盛一时，苯教开始在西藏产生，出现了"以麦熟为岁首"的历法，有了"蕃"的称谓。到了松赞干布统一西藏，吐蕃文明进入鼎盛时期，西藏从氏族社会进入奴隶制社会，创立并使用藏文，佛教在西藏兴起。公元 633 年藏王松赞干布迁都拉萨后，逐步建寺庙、筑河渠、修道路，奠定了拉萨早期的城市雏形。公元 647 年驰名中外的大昭寺建成，因大昭寺建于沼泽湖塘之上，民间有白羊负土填湖之传说因而便把"惹萨"这个名字赐给了大昭寺。随着时间的推移，公元 823 年后"圣地"拉萨之名开始传开，取代

了原名"惹萨"。自1300多年前拉萨形成立都之后，一直是全区的政治、经济、文化中心，佛教圣地。1960年，拉萨设市，现辖七县一区，全市总面积29538平方千米，有藏、汉、回等十多个民族，是藏文化发祥地之一。

白雪皑皑的喜马拉雅山，清流汩汩的雅鲁藏布江和草肥牛壮的青藏高原，哺育了拉萨这座古老的城市。在这块离太阳最近的大地上，有气势恢弘的地质景观、磅礴玉洁的雪峰冰川、美丽恬静的草原风光、波光万顷的高原湖泊、气象万千的地热云雾和郁郁湿润的湿地林卡；有风雨千秋的历史胜迹，有美妙绝伦的壁画、唐卡、造像和塑像艺术等文物，全市有大小寺庙200余座，仅市区内已被列为重点保护的文物古迹就有40多处；有独具神韵的民族歌舞、服饰和异彩纷呈的民俗风情。以布达拉宫及以文成公主进藏联姻而修成的大昭寺为中心，方圆1.3平方千米的古建筑群，展示了藏族古建筑艺术的精华，被联合国教科文组织列入了《世界文化遗产名录》，受到全人类的尊重和保护。

1965年以来，拉萨经过了五次建设高潮，持之以恒进行了大量卓有成效的建设工作，以可持续发展为原则，城市规模逐渐扩大，城镇布

拉萨拉鲁湿地

局合理，建筑和谐，容貌整洁，保持了古城风貌，市区道路骨架基本形成；按照"布局合理、绿量适宜、生物多样、景观优美、特色鲜明、功能完善"的建设理念，持续加大城市园林绿化投入，高标准实施建设，重点实施城市"六绿"工程。主要包括：以拉鲁湿地保护为重点的"绿肺"工程；以城市公园建设和古树名木保护为重点的"绿景"工程；以城市道路绿化为重点的"绿廊"工程；以单位和小区建设为重点的"绿园"工程；以城周防护林建设为重点的"绿环"工程和以苗圃基地建设为重点的"绿源"工程。不仅建成了金珠路道路绿带及两侧的生态绿化带、拉萨河带状公园、宗角禄康公园等大型绿化项目，同时在城区建成了大量绿化广场和小型公园绿地，青年林卡公园绿带等一批特大型绿地。截至2014年，拉萨市建成区绿地率达到32.8%，绿化覆盖率达到37.6%，人均公共绿地面积达到9.6平方米，各项指标均已达到国家园林城市标准，形成了较为完整的城市绿地系统。

拉鲁湿地国家级自然保护区东西长5.1千米，南北宽4.7千米，是世界上海拔最高、位于市区面积最大的天然湿地，也是我国各大城市中唯一幸存的天然湿地。拉鲁湿地生态系统具有独特而丰富的高寒湿地生物多样性，对市区小气候调节具有重要作用，素有"城市之肺"和"天然氧吧"之称。为保护好、建设好拉鲁湿地，拉萨市出台了《拉萨市拉鲁湿地自然保护区管理条例》，编制了《拉鲁湿地自然保护区总体规划》，成立了保护区管理站，禁止人为活动的破坏。自 2008 年以来，累计投入 3 亿多元用于拉鲁湿地自然保护区生态恢复、保护能力建设和保护设施建设。这些举措有力地维护了湿地物种的多样性，保护了湿地的生态环境，为拉萨增添了一抹江南气息。

自 2005 年以来，拉萨市陆续建起宗角禄康公园、慈松塘公园、格桑花公园等一大批"绿景"，其中市级公园 2 座，街头游园 20 座，实现了市民出门 500 米范围内就见绿的目标。宗角禄康公园是"绿景"工程的代表之作，位于布达拉宫后，水清林幽，风景如画，游人如织。全市种植榆树、杨树、柳树、雪松、法国梧桐、银杏等行道苗木 22498 株，并且形成了十条特色街。北京中路白塔到铜牛路段的"樱花一条街"，罗布林卡路东段"红梅一条街"，还有银杏、海棠、馒头柳、国槐、榆树等各具特色的街道。道路绿化普及率达 98%，达标率为 88%，基本形成步步见绿、路路有景的城市道路绿化新格局。

多元的文化，多彩的民俗，是拉萨的魅力之源，也是西藏可持续发展的重要支撑。每年藏历五月十五日，是传统的"林卡"节，又被称为"赞林吉桑"节，意为"世界快乐"节。因此，从藏历五月一日至二十日的大半个月，人们都会带上青稞酒、酥油茶、风干肉等美味佳肴，与亲朋好友相约来到户外，或在树木茂密的树林，或在绿草茵茵的河边，或在溪水潺潺的山间，搭起一座座帐篷，尽情享受大自然的恩赐。

自然的造化，文化的积淀，造就了"日光之城，天上西藏"。拉萨，以地质地貌的原生性，不同区域的差异性，自然气候的独特性，生态环境的多样性，审美价值的唯一性，而成为世界屋脊上璀璨的可持续发展明珠。

河南省济安县山室村2003年退耕还林种植的杨树林（朱万英 摄）

第五节
实施生态工程

    人类是从森林中走出来的，森林从来没有像今天这样与生态、生活、生命、生存联系得如此紧密。建设生态文明，建设美丽中国，是中华民族伟大复兴的绿色之梦、美丽之梦，面对众多的生态环境问题，习近平总书记告诫我们，要坚持处理好加快经济发展与保护生态环境的关系，继续强化植树造林、石漠化治理、草地湿地恢复保护等生态工程建设，使青山常在、碧水长流、资源得到永续利用。我们应当深刻领会习近平总书记的教诲，携起手来，从现在做起，保护森林，保护自然，保护生态，为子孙后代留下天蓝、地绿、水净的美丽家园，努力走向社会主义生态文明新时代。

    多年来，承担生态文明建设重大职责的中国林业，扎实保护森林、湿地、荒漠生态系统，先后实施了16项重大生态修复工程，运用退耕还林、石漠化治理、农田防护林等工程推进生态建设，促进自然恢复。

    十八大以来的生态文明建设给中国生态建设特别是林业建设带来了机遇，各地按照中央的要求和部署，通过大力开展植树造林，培育和发展森林资源，着力保护和建设森林、荒漠、湿地三大生态系统，充分发挥林业在农田、草原、城市生态系统中的基础性作用，重点实施天然林保护、退耕还林、京津风沙源治理、湿地保护、三北防护林建设、沿海防护林建设、石漠化治理等生态工程，使我国成为世界上森林资源增长最快、生态治理成效最为明显的国家。

聚焦 1

退耕还林工程：
还大地以绿色

朋友，你可还记得 1998 年那场特大洪水？你可还记得千年交替之际我国北方地区连续发生的沙尘暴？生态警钟频频敲响，究其原因，无不与过度开垦坡地、乱砍滥伐森林有关。

"开一片片荒地脱一层层皮，下一场场大雨流一回回泥，累死累活饿肚皮。"一首朴素的民谣唱出了毁林开荒的恶果，也唱出了农民对改变这种落后生活方式的需求与渴望。

治水必先治山，治山必先兴林。

1998 年 10 月，洪水刚刚退去，国务院在《关于保护森林资源制止毁林开垦和乱占林地的通知》中指出："各地要在清查的基础上，按照谁批准谁负责、谁破坏谁恢复的原则，对毁林开垦的林地，限期全部还林。"

同年 10 月，中共中央、国务院颁布了《关于灾后重建、整治江湖、兴修水利的若干意见》，把"封山植树、退耕还林"放在灾后重建"三十二字"综合措施首位，并指出："积极推行封山植

内蒙古自治区大兴安岭莫尔道嘎国家森林公园白桦树

1 | 2

1. 陕西省延安市黑家堡
   胡家村退耕还林前后
   对比
2. 湖北省随州市鲁都区
   棋盘山退耕还林

树，对过度开垦的土地，有计划有步骤地退耕还林，加快林草植被的恢复建设，是改善生态环境、防治江河水患的重大措施。"

　　1999 年 8 月，时任国务院总理的朱镕基在陕西延安考察时，站在一个叫做燕沟的山峁上，看着眼前黄土地上经过治理长出来的碧草绿树时，果断提出了"退耕还林（草）、封山绿化、个体承包、以粮代赈"的政策，并要求延安在退耕还林工作上先走一步，为全国做出榜样。

　　当年，四川、陕西和甘肃三省率先启动了退耕还林试点，由此揭开了我国退耕还林的序幕，中国持续了几千年的毁林开荒历史就此结束。

　　经过 3 年试点，退耕还林工程于 2002 年在全国全面实施。这是党中央、国务院站在中华民族生存和发展的全局高度做出的重大战略决策，也是迄今为止我国政策性最强、投资最多、涉及面最广、群众参与程度最高的一项生态建设工程，在世界生态史上写下了浓墨重彩的一笔。

　　15 年退耕还林，退下了什么，又还上了什么？

　　数据最有说服力：截至 2012 年，退耕还林完成工程建设任务 29.4 万平方千米，相当于再造了一个东北、内蒙古国有林区，工程区森林覆盖率平均提高 3 个多百分点；惠及农民 1.24 亿人，使他们人均纯收入由

2000 年的 1945 元增加到 5693 元。据长江水利委员会水文局监测，年均进入洞庭湖的泥沙量由 2003 年以前的 1.67 亿吨减少到 0.38 亿吨，减少 77%。专家认为，长江输沙量减少，退耕还林工程功不可没。昔日荒山秃岭、满目黄沙、水土横流的面貌得到改观，农民广种薄收、靠天吃饭、"累死累活饿肚皮"的生活状态得到彻底改善。

一退一还，江河安澜；

一退一还，绿水青山；

一退一还，民富国安！

如今，随着退耕还林政策陆续到期，工程区又站在了历史的交汇点。多省（自治区、直辖市）连年发出呼吁，渴望政策延续，一方面有利于缓解大量陡坡耕地、严重沙化耕地存在的生态危机，另一方面可以延续保护退耕农民巩固退耕还林成果的积极性，尤其是在推进开发式扶贫、增强造血功能的过程中，退耕还林更有着不可替代的作用。

从保护生态环境来看，我国水土流失面积达 295 万平方千米，占国土面积的 30.7%，年均土壤侵蚀总量达 50 亿吨。其中占全国水土流失总面积 6.7% 的坡耕地，产生的水土流失量占全国水土流失总量的 28%，在部分坡耕地比较集中的地区，其水土流失量甚至超过该地区水土流失总量的 50%。同时，据第四次全国荒漠化和沙化土地监测结果，我国沙化土地面积达 171.1 万平方千米，占国土面积的 18.03%；岩溶面积近 45 万平方千米，其中石漠化面积近 13 万平方千米。

从全面建成小康社会来看，到 2012 年底，我国农村扶贫对象仍有近 1 亿人，贫困地区农民人均纯收入仅为全国平均水平的 58%。特别是退耕还林的主战场——西部地区，生态环境更为恶劣。据《2011 年中国水土保持公报》显示，全国水土流失面积的 80%、全国荒漠化面积的 90% 以上分布在西部地区，全国 70% 以上的突发性地质灾害也发生在西部地区。山地资源、沙地资源、物种资源，特别是木本粮油、特色经济林资源是这些地区的优势资源，实施新一轮退耕还林，对于改善老、少、边、贫地区的生态和民生有着重要的战略意义。

从应对气候变化来看，退耕还林工程是扩大森林面积、增加森林碳汇的重大工程。2009年9月22日，中国政府在联合国气候变化峰会上向世界庄严承诺，争取到2020年中国森林面积比2005年增加40万平方千米，森林蓄积量比2005年增加13亿立方米。实施新一轮退耕还林，是我国应对气候变化的重要途径，并对进一步提升我国作为负责任大国的形象具有重要意义。

可见，实施新一轮退耕还林，是落实党的十八大精神、大力推进生态文明和美丽中国建设的战略举措，是落实支农惠农政策、推动扶贫开发和全面建成小康社会的必然要求，是增加森林碳汇、应对全球气候变化的重要选择。

时任国家林业局局长赵树丛在接受媒体采访时说，林业部门一定要抓住这一重大历史机遇，组织实施好新一轮退耕还林。一要稳定原有的退耕还林成果。退耕还林工程已实施了十几年，取得了重大成果，必须不断巩固和发展，稳定已退耕还林的面积，确保"退得下、稳得住、能致富、不反弹"。二要扩大退耕还林实施范围。新一轮退耕还林应重点考虑25度以上陡坡耕地、重点地区的严重沙化耕地、重要水源地坡耕地以及西部地区实施生态移民腾退出来的耕地等，做到稳步有序推进。三要完善退耕还林政策。对还生态林、经济林的比例不再作限制，对退耕农户丧失的机会成本和退耕还林的生态效益给予综合补偿，使农民获得较好的收益，既改善生态，又改善民生。

我们相信，再给一个支点，退耕还林工程必将撬动更加生机勃勃的未来！

辽宁省阜新市彰武县退耕还林林草间作

聚焦 2

风沙源治理工程：
洁净蓝天从这里开始

2000 年 3 月，人类刚刚跨入 21 世纪的第一个春天，留在国人记忆中的不是春光明媚，而是肆虐大半个中国的"一片昏黄"——短短一个多月时间，我国北方地区连续 12 次发生较大的浮尘、扬沙和沙尘暴天气，其中多次影响京津地区，其频率之高、范围之广、强度之大，为 50 年来所罕见，引起党中央、国务院高度重视，备受社会关注。

事实上，沙尘暴困扰京津由来已久。历史上就曾有"黄沙蔽日""行人埋于沙中"的记载，妇女出门头裹纱巾的现象曾被归纳为北京"三大怪"之一。早在 1979 年，我国媒体便发出了"风沙紧逼北京城"的惊呼。此后几乎每年春天，北京都会遭受风沙之害。

在北京市及周边地区扬尘和沙尘暴天气的成因方面，专家们的观点高度一致：主要是由风沙源区植被稀疏、土地沙化严重造成的。要解决京津地区的沙尘问题，首先要解决风沙源地的沙漠化治理难题。

经过一系列紧急协商和考察，2000 年 6 月 5 日，国务院召开会议，决定紧急启动京津风沙源治理工程示范工作，先期在北京、天津、河北、山西和内蒙古的 65 个县（市、区、旗）进行试点。

2002 年 3 月，国务院正式批准《京津风沙源治理工程规划》，在总结两年试点工作的基础上，全面启动了京津风沙源治理工程。

工程区西起内蒙古的达茂旗，东至内蒙古的阿鲁科尔沁旗，南起山西的代县，北至内蒙古的东乌珠穆沁旗，涉及北京、天津、河北、山西及内蒙古的 75 个县（市、区、旗）。治理区国土总面积为 45.8 万平方千米，其中沙化土地面积 10.18 万平方千米。

　　尽管是紧急上马，但工程规划科学、部署周密，确定了分类指导、分区施策、综合治理的原则。一期工程区分为 4 个治理区：北部干旱草原沙化治理区、浑善达克沙地治理区、农牧交错地带沙化土地治理区和燕山丘陵山地水源保护区。

　　工程明确了封、造、退、治、移相结合的多种治沙措施。"封"即全面封禁保护现有林草植被，杜绝一切破坏行为。"造"即大力营造防风固沙林带，建立稳固的防风阻沙体系，在现有荒山荒地上营造乔灌草相结合的复合型水土保持林和水源涵养林。"退"即对区域内陡坡耕地和粮食产量低且不稳的沙化耕地实行退耕还林还草。"治"即加快水土流失综合防治步伐，减少入库泥沙。"移"即对生态极其恶劣、不具备人居条件的地区，实行生态移民，促进生态自然修复。

　　10 多年过去了，京津地区的人们可以明显地感觉到：沙尘天气正逐年减少；工程区由过去的"沙逼人退"转变为"人进沙退"；工程区曾"因沙致贫"的人们也尝到了"沙里淘金"的硕果。

　　据第四次全国荒漠化和沙化土地监测结果显示，1999～2009 年，京津风沙源治理工程区涉及的 5 个省（自治区、直辖市）沙化土地总面积减少 11630 平方千米。随着林草植被的恢复和覆盖度的提高，工程区土壤的侵蚀强度明显下降，土壤风蚀总量比 2001 年减少了 5.2 亿吨，下降了 44%；地表释尘总量比 2001 年减少了 1352 万吨，减幅为 43.4%。工程区社会经济效益监测结果显示，通过生态治理与产业带动，京津风沙源治理工程在消除贫困和改善民生方面发挥了积极作用；在调整工程区产业结构、改变经济发展方式、促进地区可持续发展中发挥了重要的促进作用。

曾经沙化最为严重的内蒙古自治区多伦县变化最为典型。通过 10 多年的治理，多伦县森林覆盖率由 2000 年的 6.8% 提高到 28.73%，林草植被综合盖度由 2000 年的不足 30% 提高到 80% 以上，全县 210 万亩严重沙化土地 70% 已得到有效治理，基本遏制了沙化土地扩展蔓延。现在的多伦县满眼绿色，重现绿水青山。

尽管一期工程建设取得了显著成效，但工程区生态环境仍十分脆弱，局部地区生态继续恶化的趋势还没有从根本上扭转。以北京为例，沙尘天气虽有减少趋势，但每年仍有发生。继续实施京津风沙源治理工程并适当扩大治理范围，势在必行。

2013 年 12 月 18 日，国务院常务会议部署推进京津风沙源治理等一批重大生态工程。会议指出，要进一步推进二期工程实施，继续提高中央造林补助标准；鼓励各类社会主体投资治沙造林，凡达到技术标准的，均可享受相关补助；统筹推进防护林更新改造，在河北张家口坝上地区开展试点；强化后期管护责任，确保建成一片、管护一片，严厉打击和查处乱砍、乱垦、乱牧、乱挖及乱用水资源等违法行为；支持地方大力发展沙产业和林下经济，努力实现生态改善、农民增收。

根据《京津风沙源治理二期工程规划（2013～2022 年）》，工程区范围将扩大到 6 个省（自治区、直辖市）的 138 个县（市、区、旗），面积比原来增加了 24.8 万平方千米，将西北路径上的毛乌素沙地和库布齐沙漠纳入，大体覆盖了沙尘进京的北路和西北路两条路径上可治理的主要沙尘源区和加强区，能控制京津地区主要的沙尘危害。

风沙渐行渐远，天蓝、水清、地净的美好家园正离我们越来越近。但是，人与沙的较量永远不会停止，风沙源治理亦如逆水行舟。如今，京津风沙源治理二期工程的战役已经打响，我们，决不后退！

1	2
3	4

1. 山西省古长城防沙治沙前
2. 山西省古长城防沙治沙后
3. 黑龙江省大庆市杜尔伯特
   蒙古族自治县治沙中
4. 黑龙江省大庆市杜尔伯特
   蒙古族自治县治沙后

聚焦 3

防护林体系工程建设：
构筑生态屏障

1978 年，对中国来说，意义非凡。

这一年，中共十一届三中全会做出了改革开放的重大决策，"春天的故事"由此开篇。同在这一年，一项"世界上最大的植树造林工程"在三北地区上马，拉开了我国林业以工程形式组织开展大规模生态建设的序幕。

30 多年过去了，伴随着改革开放的律动，一座绿色长城在万里风沙线上崛地而起。东起黑龙江宾县、西至新疆乌孜别里山口，三北工程累计完成造林保存面积 26.47 万平方千米，三北地区的森林覆盖率由 5.05% 提高到 12.4%。重点地区风沙危害和水土流失得到有效治理，生态状况实现历史性转变，过去因沙致贫的人们正在依沙致富，中国林业迎来一个又一个发展的春天。

我国的西北、华北和东北地区，是中华民族的重要发祥地。万里长城、丝绸之路、敦煌石窟、黄帝陵寝、古楼兰国……曾经森林密布、绿野千里的三北地区演绎了多少王朝的兴衰成败，承载了多少历史的沧海桑田。然而，随着人口剧增、对资源的掠夺式开发、战争绵延以及气候变化等因素影响，绿色渐渐远离，风沙侵占家园。

回顾 20 世纪 70 年代，"一年一场风，从春刮到冬""沙子推平房，毛驴上了房""无风脚踏沙，有风嘴吃沙"……这些民谣描述的场景成为三北地区人们对于风沙危害的集体记忆。重建绿色家园，这是长年饱受生态灾害之苦的各族人民的共同心声，也是党中央、国务院的揪心牵挂！

1978 年，在邓小平同志的关怀下，党中央、国务院从中华民族生存与发展的长远大计出发，做出了在我国西北、华北、东北风沙危害和水土流失重点地区建设大型防护林（简称"三北工程"）的战略决策，开创了我国生态建设的

辽宁省阜新市彰武县
三北防护林樟子松林

先河。三北人民从此踏上重建绿色家园的新征程。

　　根据工程总体规划，三北工程建设范围西起新疆乌孜别里山口，东至黑龙江宾县，北达国界线，南沿天津、汾河、渭河、洮河下游，东西长4480千米，南北宽560～1460千米。包括北京、天津、河北、山西、内蒙古、辽宁、吉林、黑龙江、陕西、甘肃、宁夏、青海、新疆13个省（自治区、直辖市）的551个县（市、区、旗）和新疆生产建设兵团。工程区总面积406.9万平方千米，占我国陆地总面积的42.4%。

　　三北工程从1978年开始，规划到2050年结束，建设期限为73年，分3个阶段8期工程进行，目前已正式启动第五期工程建设。

　　三北工程的主要战略目标是：林地总面积由1977年的23.14万平方千米扩大到60.84万平方千米，增加37.7万平方千米；森林覆盖率由5.05%提高到14.95%；林木蓄积量由7.2亿立方米增加到42.7亿立方米；平原和绿洲的农田全部实现林网化；大部分地区的水土流失侵蚀模数降低到轻度以下；沙地和沙化土地得到有效治理，沙漠面积不再扩大；风沙危害和水土流失得到有效控制，

1 | 2

1. 高标准治沙造林成果
   ——油松林
2. 陕西省榆林市横山县
   人工造林示范区

生态环境和人民群众的生产生活条件从根本上得到改善。

　　30多年来，三北工程建设在实践中不断探索，在改革中不断创新，在指导思想上实现了三次大的飞跃。

　　——三北工程建设之初，为从根本上遏制风沙危害加剧、水土流失扩展的态势，改善农牧业生产条件，工程采取以人工修复为主的措施，将建设"大型防护林体系"确立为三北工程的指导思想。这一时期，工程建设中防护林的比重达70%，体现了保生态、保生存、保发展的现实需求。

　　——进入20世纪90年代，随着市场经济发展、国家体制改革深化和政策调整，沙区农民脱贫致富的愿望日渐强烈。三北工程建设突破了建立单一生态型防护林体系的模式，提出了建设生态经济型防护林体系的指导思想。人们不再仅仅把目光放在"林"上，而是更多关注"人"的发展。生态经济型防护林体系建设通过引进市场经济的杠杆，不仅获得了生态效益，还让老百姓得到了实惠。造一片林子，富一方百姓，工程的建设发展呈现出可持续发展态势。

　　——近年来，随着社会对林业的需求日趋多样，工程建设又调整确立了"以生态建设为主线，统筹生态建设和民生改善"的指导思想，也就是在坚持生态优先的前提下，按照以人为本、统筹兼顾的原则，实行生态基地、产业基地建设与林地资源综合开发利用相结合，大力推进百万亩防护林基地和特色产业基地建设，初步呈现出生态与民生相融合、兴林与富民相统一、山沙增绿和身边造景相呼应的工程建设新格局。

2011 年，三北五期工程启动，这一利国利民的千秋大业由此进入后半程。有专家指出，在三北工程取得巨大成就的同时必须要认识到，受到自然、技术、资金等多种因素的制约，三北工程发展还很不平衡，特别是在一些生态区位重要的地区，生态状况还没有得到根本改善，有限的资金还没有发挥出应有的效益。

虽然造林技术、手段等较 20 世纪 80 年代已今非昔比，但进入后半程的三北工程建设，显然还要必须面临新的困难和挑战。比如，三北工程建设前期按照先易后难、由近及远的原则推进，使一些自然条件相对较好的地方得到有效治理，但剩余荒山荒地的立地条件差、土壤贫瘠，造林难度越来越大。此外，目前的三北防护林建设还存在着工程建设重点不够突出、内容比较单一、方式有待优化、投入机制有待完善、现代化管理手段落后等诸多问题。

我们看到，三北地区仍是我国生态环境最脆弱、生态治理最艰巨、生态建设最繁重的地方。没有三北地区生态环境的改善，就没有全国生态环境的改善。

展望未来，三北工程仍然任重道远。实现"双增"目标、兑现国际承诺，关键在三北，潜力在三北；建设生态文明、实现美丽中国，重点在三北，难点在三北。

30 多年战天斗地，30 多年鏖战风沙，三北地区涌现出一大批以王有德、石光银、牛玉琴等为代表的英雄模范，培育了陕西榆林、黑龙江齐齐哈尔等一大批先进典型。他们身上"艰苦奋斗、顽强拼搏，团结协作、锲而不舍，求真务实、开拓创新，以人为本、造福人类"的三北精神，已成为建设生态文明、改造自然面貌的强大精神力量，必将继续鼓舞我们在建设生态文明进程中自强不息、锐意进取、奋勇前行。

听，三北新征程的号角已经吹响。

聚焦 4

荒漠化综合治理工程：
沙漠退去，绿色长留

"云开大漠风沙走""平沙莽莽黄入天""大漠孤烟直"……提起沙漠，久居中原的人们往往对那苍凉辽阔之美心驰神往。然而，对于生活在沙漠周边的人们来说，"沙进人退"是生产生活的首要风险。

沙尘、水土流失、生态退化都能找到同一个元凶，那就是曾被称为"地球癌症"的荒漠化。据联合国的统计资料显示，全世界有2/3的国家和地区，受到荒漠化不同程度的危害。

我国是世界上受沙化危害最严重的国家之一。全国沙化土地面积171.1万平方千米，占国土面积的18.03%，还有31.1万平方千米土地具有明显沙化趋势，局部地区沙化土地面积仍在扩展，防沙治沙依然是我国生态建设的难点和重点。同时，沙化土地主要分布于北方干旱、半干旱地区等"老、少、边、穷"地区，沙化导致生态恶化和贫困加剧，严重影响人们的生产、生活甚至危及生存空间，严重制约经济社会可持续发展和全面建成小康社会目标的如期实现。

党的十八大和十八届三中全会就推进生态文明和美丽中国建设做出了全面部署。习近平总书记就生态文明建设和林业改革发展发表了一系列重要讲话、做出了一系列重要批示和指示，为生态文明建设提供了基本遵循，也为防沙治沙工作指明了前进方向。进一步加强防沙治沙工作，既是推进生态文明建设、维护国家生态安全的需要，也是推动经济社会发展、改善民生的需要；既是促进民族团结、保持边疆稳定的需要，也是履行国际公约、提升国际形象的需要。

一、治沙成效：从黄沙漫漫到绿色铺展

生存还是毁灭？这不仅是一句舞台上的经典台词，也是摆在沙区人民面前的现实选择。新中国成立后，在各级党委和政府的领导下，沙区人民与沙害开

1 | 2
1. 辽宁省工程造林现场
2. 不朽的胡杨

始了旷日持久的较量。

1958 年，国务院召开西北内蒙古六省（区）治沙会议，决定由中科院组成治沙队开展治沙及研究，在沙区开展以植树造林种草为主的群众性治沙活动，在冀中、冀西、陕北、豫东、东北西部、内蒙古东部等广大沙区组织实施防风固沙林建设。

改革开放以来，我国防沙治沙进入了工程带动、政策拉动、科技推动、法制促动的快速发展新阶段。

1978 年，我国启动实施了三北防护林体系建设工程；1991 年，国务院批准启动了全国防沙治沙工程规划纲要。至此，我国有了防沙治沙专项工程。

进入 21 世纪，国家全面实施了京津风沙源治理工程、三北四期工程、退耕还林工程等一批重点生态建设工程。

按照"预防为主、科学治理、合理利用"的方针，实行统筹规划、因地制宜、分类施策、先急后缓、重点突破的原则，采取宜乔则乔、宜灌则灌、宜草则草，林业、农业、水利、扶贫、移民等相结合的措施，综合治理沙化土地。

2002 年 1 月 1 日，随着防沙治沙法的正式实施，我国步入了科学治沙、综合治沙、依法治沙的发展快车道。

2013 年,《全国防沙治沙规划(2011 ~ 2020 年)》获得国务院批准并实施。

一分耕耘一分收获。人们用血汗浇灌出的绿色不仅阻遏了漫漫黄沙，还出现了"人进沙退"的逆转。第四次全国荒漠化和沙化土地监测结果显示，截至2009年底，我国荒漠化土地面积262.37万平方千米，沙化土地面积171.1万平方千米，分别占国土总面积的27.33%和18.03%。2005～2009年，全国荒漠化土地面积年均减少2491平方千米，沙化土地面积年均减少1717平方千米。监测表明，我国土地荒漠化和沙化呈整体得到初步遏制，荒漠化、沙化土地持续净减少，局部地区仍在扩展的趋势。在第四次全国荒漠化和沙化土地监测与第三次监测间隔5年内，中国防沙治沙呈现四个重要变化：一是荒漠化和沙化土地面积持续净减少。5年间，全国荒漠化土地和沙化土地分别比上次监测时减少0.47%和0.49%。二是荒漠化和沙化程度持续减轻。三是沙区植被状况进一步改善。四是重点治理区生态环境明显改善。

二、胡杨精神：黄绿相持中的坚守与较量

沙漠是成片成带的，而绿色却是星星点点地恢复的。10年、20年……50年，也许还要100年、200年，防沙治沙一路走来，写满艰苦与坚守、牺牲与收获，涌现出一批又一批不屈不挠、可敬可爱的治沙英雄。

陕西榆林有个牛玉琴，她和身患癌症的丈夫一起承包了1万亩沙地。丈夫去世后，牛玉琴一个人治沙种树。榆林人说："这婆姨愣是用泪水和汗水把沙漠里的树浇活了！"

内蒙古赤峰有个治沙愚公唐臣，他承包了西梁山的3400多亩沙地，变卖了家里的所有财产，与家人一起种树治沙。5年里磨坏了20多把铁锹，穿坏了30多双胶皮底鞋，硬是把荒沙山变成了林草丰茂、兔走鹰飞的花果山。

还有治沙英雄王有德、石光银，治沙女杰白春兰、殷玉珍……以及无数不知名的人们如同一棵棵胡杨坚守在防沙治沙第一线。

胡杨，这茫茫大漠里唯一可以扎根生存的乔木，它能忍受沙漠中干旱多变的恶劣气候，对盐碱的忍耐力极强，活着一千年不死，死了一千年不倒，倒了一千年不朽。黄与绿的相持，不进则退。防沙治沙需要更多的胡杨树，需要全社会、多部门共同参与，发扬胡杨精神，一代接着一代干，一张蓝图绘到底。

三、科学谋划：来日青纱映碧空

朱德元帅曾题诗：黄沙万里今何在？一片青纱映碧空。这样的宏愿何时能够变成现实？

实践证明，人们在恶劣的生态环境面前并非无能为力，也可以有所作为。防沙治沙有效地改善了治理区生态环境，为农牧业生产提供了生态屏障，推进了农村经济结构调整和生产方式转变，促进了农民增收和地方经济发展。

党的十八大提出要"推进荒漠化、石漠化、水土流失综合治理""努力建设美丽中国，实现中华民族永续发展"。

当前，虽然沙区荒漠化面积已经连续多年实现了净减少，但是局部问题仍在扩展，治理难度也日益增大。而且，脆弱的生态环境使得治理成果极易发生逆转。

时任国家林业局局长赵树丛在 2014 年"世界防治荒漠化和干旱日"撰文指出，要站在经济社会发展和生态文明建设全局的战略高度，认真实施《全国防沙治沙规划（2011～2020 年）》，创新体制机制，完善政策措施，依靠人民群众和科学技术，全面完成各项规划任务，努力开创我国防沙治沙工作新局面。

黄沙百战穿金甲。我国防沙治沙工作已经站在了新的起点，适用技术和治理模式日臻成熟，政策法规逐步完善，沙区群众的防沙治沙积极性进一步提高，关注治沙、支持治沙、参与治沙已经成为全社会的共识，只要我们尊重自然规律，坚持科学态度，发扬胡杨精神，就一定能够战胜沙害，换来青纱映碧空。

1 | 2

1. 河北省丰宁小坝子沙化土地治理中
2. 宁夏回族自治区中部干旱带防风固沙林

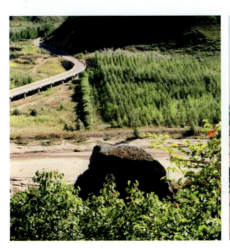

经过天保工程初期的阵痛，在工程政策资金支持下，林区经济早已告别"独木支撑"的时代，迸发出新的活力。大批替代产业、新兴产业兴起，产业结构得到调整优化，经济总量和质量都不断提高。对35个重点国有森工企业监测结果表明，样本企业总产值从1997年到2000年进入下滑状态，2000年探底以后出现持续增长，企业负债下降了63.4%，林区经济呈现出"V"型发展态势。以天保第一省四川为例，2009年林业总产值953亿元，比1997年增长10倍多；农民人均林业纯收入521元，比2000年增长3倍多。

多元化经济迅速发展，最直接的受益者是林区的广大职工群众，工作解决了，钱袋子鼓了，拖欠多年的工资补上了，林区民生逐步得到改善。工程区职工实现了社会养老保险省级统筹，医疗、失业、工伤、生育保险地级统筹，林区职工"老有所养、病有所医、失业有救济、工伤有保障"。

工程区生态状况明显好转。水土流失减轻，输入长江、黄河泥沙量明显减少，有效降低了三峡、小浪底等重点水利工程的泥沙淤积量。2008年长江宜昌段的泥沙含量比10年前下降了30%，并以每年1%的速度下降；野生动植物生存环境不断改善，生物多样性得到有效保护。

林区民生得到有效改善。平稳转岗和安置了富余职工95.6万人，国有职工基本养老、医疗保险参保率分别达98%和89%。

天保工程的意义远不止于少砍了多少棵树。随着工程不断深入推进，涟漪效应越来越明显，一直相对封闭、自成体系的国有林区逐渐敞开胸怀，踩着共和国改革开放的步点前进。

工程实施后，部分条件成熟的地区，按照分类经营的要求，将不再具有木材生产职能的森工企业和国有林场改制为公益性事业单位，从事木材生产的企业走向市场，从根本上解决了企业生存及管理机制等问题。部分森工企业改革也取得突破性进展。其中有代表性的吉林森工集团实现全面改制重组，加工业国有资本全部退出，辅业全部转为民营，社会职能全部移交，职工全部转换劳动关系，集团进行股份制改造，森工企业改革、发展实现历史性突破。

对国有林区体制机制等深层次问题的触动以及对应对气候变化做出的贡

献，这些都是工程启动之初没有预料到的。

2000年，我国年财政收入不过1万多亿元，而党中央、国务院下决心投入1000多亿元启动天保工程，是何等的决心和魄力！现在回过头来看，又是何等的英明抉择！

2010年12月29日，国务院第138次常务会议决定，继续实施天保工程二期，规划时间为2011～2020年，10年规划总投资2440.2亿元，再次向世界昭示了中国政府保护天然林资源的坚定决心！

与一期相比，天保工程二期更加关注西部经济发展，更加关注资源培养，更加关注民生改善，更加注重企业改革，更加注重动态调整。

站在新的历史起点，天保工程二期整装再发。我们有理由相信，再过十年，祖国的山会更绿、水会更清，美丽中国的梦想终将实现！

聚焦 6

野生动植物保护及自然保护区建设：保护自然遗产

我们为什么要保护野生动植物？

国家最高科学技术奖获得者、中科院院士李振声说："一个基因可以影响一个国家的兴衰，一个物种可以左右一个国家的经济命脉。"可以说，保护野生动植物，事关经济社会可持续发展，事关国家基因安全和生态安全，事关中华民族的长远利益。

我国生态系统类型多样，孕育了丰富的物种资源，是世界上物种多样性最丰富的国家之一；同时，我国生物特有属、特有种多，动植物区系起源古老，珍稀物种丰富，在世界生物多样性保护中具有十分重要的地位。然而，我国的自然保护事业却是从"抢救"开始的。

1956年9月，第一届全国人大第三次会议召开，5位著名生物学家联名动议：急应在各省（自治区）划定若干自然保护区（禁伐区），为国家保存自然景观，也为科学研究提供据点。

这个编号为"92"的提案，对遏制建设时期急剧破坏的生态环境具有重要意义。当年10月，林业部草拟了《天然森林伐区（自然保护区）划定草案》，并在广东肇庆建立了中国的第一个自然保护区——鼎湖山自然保护区，拉开了保护自然资源、抢救珍稀动植物的序幕。

自然保护事业的发展一波三折。20世纪50年代末的"大炼钢铁"运动、六七十年代的十年动乱以及改革开放之初的"全面旅游开发"，使很多自然保护区受到严重影响。直至1979年10月，林业部、中国科学院等八部委下发了《关于加强自然保护区管理、规划和科学考察工作的通知》，我国自然保护区发展才步入正轨。但是，随着人口的持续增长和经济的快速发展，一些地方未能妥善地处理好人口增长、经济发展和资源保护的关系，乱捕滥猎、乱采滥挖、倒卖走私野生动植物及其产品的违法犯罪活动猖獗，侵占、破坏野生动植物栖息地和自然保护区的现象比较普遍。

为切实加强野生动植物保护及自然保护区建设，2001年，经国务院同意，国家发展计划委员会批复了《全国野生动植物保护及自然保护区建设工程总体规划》，开启了中国野生动植物保护和自然保护区建设的新纪元。

规划期为2001～2050年，总体目标是：到工程期末，我国自然保护区数量达到2500个（林业自然保护区数量为2000个），总面积172.8万平方千米，占国土面积的18%；形成一个以自然保护区、重要湿地为主体，布局合理、类型齐全、设施先进、管理高效、具有国际重要影响的自然保护网络。

工程内容包括野生动植物保护、自然保护区建设、湿地保护和基因保存。重点开展物种拯救工程、生态系统保护工程、湿地保护和合理利用示范工程、种质基因保存工程等。

14年来，工程的实施极大提升了我国野生动植物保护能力和自然保护区建设水平，保护成效逐步显现。

2003年以来，我国各级林业部门安排近2000个项目，加强对朱鹮、虎、豹、金丝猴、长臂猿等160多种珍稀濒危野生动物野外种群及其栖息地的监测和保护，60%以上的珍稀濒危野生动物野外种群稳中有升；建立完善各类野生动物救护繁育基地250多处，200多种珍稀濒危野生动物建立了稳定的人工种群。

在濒危动物人工繁育取得成功、种群安全得到保障的基础上，从2003年开始，我国又启动了人工繁育野生动物放归自然试点，对大熊猫、朱鹮、梅花鹿等13种濒危野生动物人工繁育个体实施野外放归，取得良好成效。这标志着我国濒危野生动物拯救工作已经迈向野外种群恢复阶段。

在野生植物保护方面，自工程实施以来，我国新建野生植物类型自然保护区100多个、野生植物就地保护点351个，对10余种野生苏铁的主要分布区和200余种亚热带野生兰科植物实施了有效保护；建立野生植物种质资源保存和种源培育基地500多处，使1000多种珍稀或濒危、特有植物受到迁地保护，

1. 卧龙大熊猫
   （衡毅 摄）
2. 2009 年 5 月青海
   湖重见佩戴发射
   器的棕头鸥
   （张国刚 摄）
3. 珙桐（陈东升 摄）
4. 苏铁野外回归
   （雷超铭 摄）

使千余种野生植物形成了稳定的人工种群。2012 年，国家林业局、国家发改委联合印发了《全国极小种群野生植物拯救保护工程规划（2011 ~ 2015 年）》，规划对 120 种极小种群野生植物进行重点保护。

实践证明，建立各种类型的自然保护区，是保护自然资源的最有效措施。截至 2013 年 5 月，我国已经建成 2150 个林业自然保护区，85% 以上的国家重点野生动物得以保护。

我国在野生动植物及自然保护区建设方面所做的努力和取得的成绩，赢得了世界的普遍尊重和广泛赞誉，展现了负责任的大国形象。截至 2012 年，我国加入世界生物圈的自然保护区达到 33 个，其中有相当一部分自然保护区是全球生物多样性保护重点地区。

但同时，我们也要清醒地看到，中国还有许多野生动物仍处于濒危状况，部分非国家重点保护野生动物资源仍在下降，乱捕滥猎、滥食野生动物的案件时有发生，野生动物栖息地还面临着蚕食、污染和割裂等威胁。

如何破局？

党的十八大报告用坚决的语气显示了中央保护生态的决心：要大力推进生态文明建设，"必须树立尊重自然、顺应自然、保护自然的生态文明理念""扩大森林、湖泊、湿地面积，保护生物多样性"。

习近平总书记的论述则为生态保护指明了道路：只有实行最严格的制度、最严密的法治，才能为生态文明建设提供可靠保障。

信心坚定，方向既明。我们有理由相信，随着工程实施的不断深入，留给子孙后代的定是"万类霜天竞自由"的美丽中国！

聚焦 7

陆生野生动物疫源疫病监测防控体系：
维护公共卫生安全的基础

1 | 2

1. 青海省异常死亡的猛禽
   （初冬 摄）
2. 西藏自治区那曲患病死亡的藏羚羊（徐钰 摄）

从 2003 年的"非典"到紧随其后的禽流感疫情，人畜共患疾病的频频发难，让人们看待野生动物的目光复杂而纠结。

野生动物不仅是宝贵的自然资源，而且是天然的"病原库"，是狂犬病、鼠疫、高致病性禽流感等许多人兽共患病的携带者和自然宿主，严重威胁珍稀濒危野生动物的保护，甚至直接威胁家养动物、人类的生命健康。

野生动物疫源疫病监测是《重大动物疫情应急条例》赋予林业部门

的重要职责，是党中央、国务院赋予林业部门的重要任务，是新时期林业部门的重要工作。2005 年，依托国家林业局森林病虫害防治总站成立的国家林业局野生动物疫源疫病监测总站（以下简称"监测总站"），负责全国的野生动物疫源疫病监测工作。自成立以来，监测总站认真贯彻党中央、国务院和国家林业局党组的决策部署，充分发挥自身优势，克服困难，开拓创新，为促进野生动物疫源疫病监测防控做了大量卓有成效的工作。青海湖候鸟高致病性禽流感、鄂尔多斯野鸟禽霍乱、四川德格旱獭鼠疫……多起突发野生动物疫情得到及时、妥善处置。林业部门会同有关部门，为维护公共卫生安全、保障经济社会发展、促进生态建设做出了应有贡献。

监测总站成立后，各地按照整合资源、节约高效的原则，依托野生动植物保护管理站、自然保护区、森林病虫害防治检疫站等现有机构，快速建成了由 350 处国家级、768 处省级和一大批市（县）级监测站组成的野生动物疫源疫病监测站网络，为工作的顺利开展奠定了坚实基础。

随后，野生动物疫源疫病监测防控体系建设被纳入了《全国动物防疫体系建设规划（2004～2008 年）》和《"十一五"突发公共事件应急体系建设规划》。

继而，《全国野生动物疫源疫病监测防控体系建设工程规划（2010～2013 年）》编制完成，为监测防控体系后续发展夯实了基础。我国还研发启用了野生动物疫源疫病监测信息网络直报系统，监测信息上报变得及时而安全。

监测总站还参与编制了《国家中长期动物疫病防治规划（2012～2020 年）》，构建了以 350 处国家级监测站为主体的野生动物疫源疫病监测防控体系，夯实了监测防控工作基础。

在地方层面，湖北、湖南、四川、新疆等省（自治区）协调建立了专门的野生动物疫源疫病监测防控机构，为工作开展提供了组织保障。

防控疫情、自身防护，一个都不能少。

为规范工作行为，国家林业局先后颁布实施了《陆生野生动物疫源疫病监测规范（试行）》和《陆生野生动物疫源疫病监测防控管理办法》。同时，我国首次科学系统地对野生动物疫病进行分类，发布实施了《陆生野生动物疫病

1 | 2
  | 3

1. 监测总站宣传挂图
2. 野外旱獭疫病取样
3. 紧急演练

分类与代码》行业标准；立项起草了《陆生野生动物疫源疫病监测技术规范》《野生动物疫病危害性等级划分》等技术规程，组织起草了《陆生野生动物疫源疫病监测工程项目建设标准》，为监测防控工作的标准化和监测防控工程项目建设的标准化提供了技术保障。

此外，指导督促各地逐步建立了领导责任、岗位责任、应急值守、保密管理、人员安全防护、应急响应等制度，为工作的规范开展提供了制度保障。

目前，我国已组建起一支多元化、专兼结合的监测防控工作队伍。通过加强重点区域和重要时期的检查指导，专项督查野生动物驯养繁殖场所、活体鸟类交易市场、边境地区等高危区域，确保各项防控措施的落实，及时发现和整改存在的问题，消除疫情隐患，研究提出科学防控建议。按照"第一时间发现、第一现场处置"原则，有效控制了候鸟高致病性禽流感、旱獭鼠疫、野鸟禽霍乱、鼬獾犬瘟热等多起突发野生动物疫情，为维护公共卫生安全和社会稳定做出了重要贡献。

为指导和规范突发陆生野生动物疫病应急处置工作，组织编制了《国家林业局突发野生动物疫病应急预案》，结合专业技术培训，多次举办突发野生动物疫情应急处置演练，使监测防控和应急处置能力不断提高。

同时，创建了陆生野生动物疫源疫病监测网，编印了《野生动物疫源疫病监测简报》，印制下发了野生动物疫源疫病监测防控宣传挂图。作为直接成果，公众自我防范意识觉醒、自我防范能力增强，甚至主动报告野生动物异常情况。野生动物疫源疫病初步形成群防群控的良好局面。

尽管取得了显著成绩，但由于工作起步晚、基础薄弱、建设滞后，与现代林业的发展相比，我国野生动物疫源疫病监测防控工作尚处于较低层面；与当前面临的形势任务要求相比，我国野生动物疫源疫病监测防控还存在很大差距，亟待进一步加强。

2013 年 4 月，国家林业局再次下发紧急通知，要求各级林业主管部门从保障人民健康和生存权利这一基本民生、民权，维护公共卫生安全的大局出发，进一步提高做好溯源排查等监测防控工作重要性、H7N9 禽流感疫情应对形势严峻性和复杂性的认识，将工作重点从发现异常死亡、报检送检的被动监测尽快转到主动采样送检、主动溯源排查上来。同时，暂停受理猎捕鸟类等鸟类经营活动的相关行政许可申请，已获得相应行政许可的也要暂停相关活动。

青海湖禽流感疫区解除封锁后对蛋岛焚烧消毒

聚焦 *8*

林业生态和林业产业两大工程：生态保护与产业发展并举

要金山银山还是要绿水青山？中国林业用绿色发展回答了这道难题：既要绿水青山，又要金山银山；宁要绿水青山，不要金山银山；而且绿水青山就是金山银山。

有这样一组数据可以印证这"两座山"的相得益彰：第八次全国森林资源清查结果显示，我国森林面积由195万平方千米增加到208万平方千米，森林覆盖率由20.36%提高到21.63%，森林蓄积量由137.21亿立方米增加到151.37亿立方米；2013年，我国林业产业总产值达4.46万亿元，林产品进出口贸易额达1250亿美元，分别比上年增长13%和5.2%。"十一五"以来，我国林业产业创造了年均增幅两倍于同期国民生产总值的奇迹。森林旅游、竹产业、油茶

林权制度改革后的浙江省白沙村

产业、核桃产业、特色林果业等在很多地方成为区域经济的支柱产业。

回顾中国林业的发展历程，从以木材生产为中心到以生态建设为基调，再到建设生态文明的战略决策，正是关于这"两座山"的认识不断深化的历程。

新中国建设初期的头30年，是我国林业发展的第一个阶段。

阿尔山特尔美峰

在当时的历史背景下，木材是重要的经济资源，与钢材、水泥合称"三大材"。林业的首要任务是生产木材，林业是国民经济名副其实的基础产业，"用绿水青山去换金山银山"成为当时的现实选择。

第二个阶段是从20世纪70年代末期到90年代后期。这一阶段的特征是木材生产和生态建设并重，"既要金山银山，也要保住绿水青山"。一方面，继续大量生产木材；另一方面，加强对森林资源的保护，开展了大规模的造林绿化工作。但由于林业生态建设的投入较低，以及体制惯性和思想认识上的原因，我国林业仍然没有从根本上摆脱传统林业的影响和束缚。

如今，我国林业迎来了第三个发展阶段。人们意识到，绿水青山可以源源不断地带来金山银山，"绿水青山本身就是金山银山"。我们种的常青树就是摇钱树，生态优势变成经济优势，形成浑然一体、和谐统一的关系，体现了科学发展观的要求，体现了发展循环经济、建设资源节约型和环境友好型社会的理念。

2014年4月1日，黑龙江国有林区停止天然林商业性采伐。这是一个标志性的历史时刻，代表着中国林业的发展方式正在发生深刻的变革。

过去的采伐经济曾经为国家建设做出了巨大贡献，但也付出了沉重的生态代价，"资源危困、经济危机"为一味向生态索取的发展方式敲响了警钟。停伐，意味着林区要进一步扩大其生态屏障的功能定位。但天然林商业性采伐要停，

分林到户

失业工人得管，钱从哪里来？人往哪里去？

转型，总是有困难，难免有阵痛。但正如习近平总书记所说，加快转变经济发展方式是大势所趋，等不得、慢不得。早转，早见效，早主动。慢转，积累的问题会越多，后续发展会更加被动。

事实上，近年来，随着科技与时代的进步，林业产业的内涵和外延都在不断扩展。木本粮油成为保障我国粮油安全的战略产业，生物质能源成为清洁能源的重要组成部分，生物医药解决了世界医疗难题，单是一根毛竹创造出的产品就有2500多种，在国家发改委2012年发布的七大战略性新兴产业中就有五大产业和林业息息相关……林业产业这个传统产业正在转型升级，成为一个朝阳产业，后发优势势不可挡。替代产业的发展不仅消减了人类对森林资源过度依赖的压力，同时也能为林业发展提供更多的保障。

时任国家林业局局长赵树丛在接受新华社专访时表示，林业部门将以建设生态文明为总目标，以改善生态、改善民生为总任务，加快发展现代林业，着力构建国土生态空间规划、重大生态修复工程、生态产品生产、支持生态建设的政策、维护生态安全的制度和生态文化六大体系，努力建设美丽中国。当前，要深化集体林权制度改革，全面落实并长期稳定农民林地承包经营权，完善扶持政策和服务平台。把林地保护放在更加突出的位置，划定林地红线，守住生态底线，坚决遏制林地过快过多流失的态势。大力发展木本粮油、生物质能源、生态旅游、林下经济等绿色产业，吸引更多人参与生态文明建设。

我国森林面积和林业产业产值增长的正相关深刻地诠释了习近平总书记所说的"绿水青山就是金山银山"。保护生态和发展经济并不是一对无法调和的矛盾，而是可以相得益彰的双剑合璧。

目前，我国 592 个扶贫重点县中约有 480 个在山区林区；已有 1 亿农民拿到了林权证；林业产业横跨一、二、三产业，产业链条长，就业容量大，从业门槛低，是农民最适宜发展的产业之一。我国林业产业从业人员 4500 万人，占农村剩余劳动力的 37.5%。在很多地区，林业产业已经成为当地农民增收致富的支柱产业。同样是靠山吃山，但过去的"靠"是采伐索取，如今的"靠"是经营保护。

重大的林业工程不仅是生态工程，同时也是民生工程。京津风沙源治理工程对区域发展的贡献率保持在 24.7% ~ 28.3%；石漠化综合治理工程区人均纯收入已经由 3916 元增加到 4394 元；退耕还林工程实施以来，累计完成造林任务 4.41 亿亩，巨额中央财政投入惠及 3200 多万农户……

生态林业和民生林业就这样完美结合。

第六节
发展绿色经济

  《习近平总书记系列重要讲话读本》提到，我们只有更加重视生态环境这一生产力的要素，更加尊重自然生态的发展规律，保护和利用好生态环境，才能更好地发展生产力，在更高层次上实现人与自然的和谐。要克服把保护生态与发展生产力对立起来的传统思维，下大决心、花大气力改变不合理的产业结构、资源利用方式、能源结构、空间布局、生活方式，更加自觉地推动绿色发展、循环发展、低碳发展，决不以牺牲环境、浪费资源为代价换取一时的经济增长，决不走"先污染后治理"的老路，探索走出一条环境保护新路，实现经济社会发展与生态环境保护的共赢，为子孙后代留下可持续发展的"绿色银行"。

  说到底是要我们把习近平总书记"绿色发展、循环发展、低碳发展"的要求落到实处，着眼"两个一百年"的奋斗目标，实现中华民族伟大复兴的中国梦。

  发展绿色经济，构建美丽中国，在反思工业文明飞速发展导致生态环境恶化、发展难以为继的沉痛教训基础上，继承和发展工业文明，形成的一种遵循自然、经济、社会、生态等整体运行规律，实现人与自然和谐、发展与环境双赢的人类文明发展新形态。新一届党中央破解日趋强化的资源环境约束，加快转变经济发展方式，发展绿色经济，为推进生态文明建设、实现经济社会科学发展奠定了坚实基础。

  当代中国，以经济建设为中心是兴国之要，发展是解决我国所有问题的关键。只有把生态文明建设的理念、原则、目标等深刻融入和全面贯穿到我国经济、政治、文化、社会建设的各方面和全过程，发展绿色经济，促进生产方式和生活方式的根本性变革，推动经济、社会、生态实现绿色发展、循环发展、低碳发展，我们的绿色中国才能共创生态文明，共享美好未来。

聚焦 1

低碳农业：
回报大地的恩泽

平凡而朴实的土地，给人以平等的恩泽与厚爱。但人们却并未珍惜土地，过度开发式的破坏，"母亲"只是忍疼支撑，当她真的"倒下"时，就是不尽的灾难。

建设美丽中国的号召，唤醒了我们对大地"母亲"的珍爱，对于土地支撑的千古传统农业，我们不求工业化的规模和效益，而企求转变生产方式，发展低碳式的现代农业。

传统农业时期，温室气体主要来源于牲畜肠道发酵、稻田、生物质燃烧和粪肥处理。工业化农业时期，化肥大量取代农厩肥，高毒农药有效杀死害虫的同时，也造成了严重的环境污染及资源浪费，释放出大量的温室气体。工业化农业所排放的温室气体，超过全球人为温室气体排放总量的30%，相当于150

龙脊梯田（邱济民 摄）

亿吨的二氧化碳。用碳经济的标准来衡量，工业化农业属于"高碳农业"。

2005 年，在全国 74.67 亿吨温室气体排放总量中，农业活动造成的温室气体达到 8.20 亿吨，占比为 10.97%。

什么是低碳现代农业？它以低能耗、低排放、低污染为基础，比生态农业的涵义更广泛，不仅要像生态农业那样提倡多用有机肥、少施化肥，多用物理和生物方法、少用化学药品防治害虫，进行高效的农业生产，保持生物的多样性，提高农业健康发展的后劲，而且在种植、运输、加工等环节，在保持现代农业对电力、石油和煤气等能源需求适量增加的前提下，更加注重降低农业整体能耗和温室气体排放。

生态农业是个复杂的系统，不同的土地利用方式，对碳吸收与排放之间的动态平衡影响甚大。发展低碳现代农业，就要在尽量减少农业自身温室气体排放的同时，充分发挥农业系统的碳汇作用，依靠农作物光合作用大量固碳，使土壤成为巨大的碳库。据联合国粮农组织估计，生态农业系统可以消化掉 80% 因农业导致的全球温室气体排放量。

发展低碳农业已经成为我们建设美丽中国的共识，它以减缓温室气体排放为目标，以减少碳排放、增加碳汇和适应气候变化技术为手段，通过加强基础设施建设、调整产业结构、提高土壤有机质、做好病虫害防治、发展农村可再生能源等农业生产和农民生活方式转变，实现高效率、低能耗、低排放、增碳汇的农业。低碳农业是发展绿色经济的重要载体，大力发展低碳农业是应对气候变化的有效途径，也是我国农业实现可持续发展的必然选择。

我国农业主管部门和地方政府高度重视低碳农业的发展。农业部专门制定了宁夏、陕西、河南、山东四省区的《农业应对气候变化行动方案》；组织实施了以农村沼气为重点，配套太阳能、风能、水电、省柴节煤炉灶等的生态家园富民行动；在全国范围内开展了测土配方施肥行动。目前，全国测土配方施肥技术推广面积达 10 亿亩以上；推广保护性耕作、健康养殖和标准化养殖小区建设，有效减少了动物甲烷排放，增加了土壤有机碳含量。同时，组织实施了以保护基本农田，稳定种植面积，提高耕地质量，增强抗御风险能力等为主的增强粮食综合生产能力的行动；针对日益严重的气象灾害，围绕提高农业防灾、抗灾、减灾和综合生产能力，开展了农田水利基本建设，扩大农业灌溉面积，提高灌溉效率，提高农田整体排灌能力，切实增强了农业综合生产能力；培育并推广了产量高、品质优良的抗旱、抗涝、抗高温、抗病虫害等抗逆品种，提高了良种覆盖度；推广农田节水技术，解决干旱缺水地区农村饮水和部分农业生产用水问题，提高了应对旱灾的能力。

发展低碳农业，还需要在如下领域继续加大力度和投入：加强生物固氮、生物技术等新技术的研发，发展低碳农业，从而实现农业效益和环境效益同步。

畜禽粪尿带来的碳排放应当列在产业温室气体排放之首。其次，畜禽呼吸产生的二氧化碳，也是碳排放的重要内容；肠道气体的排放，也是很重要的方面。再次，冲洗地面、墙壁、栏杆、尿沟、运动场的污水，打扫垫草、地面的污物，这部分的碳排放不可忽视。

发展低碳农业应大力普及农村沼气，发展秸秆气化、固化，开发太阳能、风能、微水电等可再生能源，替代化石燃料减少二氧化碳排放。加快省柴灶、节能炕和节煤炉的升级换代，推进农业机械节能，降低化石能源消耗。转变生产方式，减少农田和畜禽养殖的甲烷和氧化亚氮排放。推广秸秆还田、保护性耕作等措施，增加农田土壤和草地碳汇。不断优化区域布局和农产品种植结构，加强以农田水利为重点的农业基础设施建设，培育高产、抗逆农作物品种，实施测土配方施肥、病虫害监测预警，增强农业防灾抗灾减灾和综合生产能力。另外，还要建立低碳农业的生态补偿机制，鼓励农民大力开展低碳农业生产。

保护草原生态是发展低碳畜牧业的方式之一。草原上的植物通过光合作用，能将大气中的二氧化碳吸收，并且固定在土壤植被中，可降低大气中二氧化碳的浓度，在抑制温室效应方面发挥着重要作用。还需要在政策上不断加强草原生态保护力度：建立草原生态补偿的长效机制，加大退牧还草工程的建设力度，研究制定草原生态与牧区生态协调发展的政策措施。对于企业来说，推行标准化中等规模与小规模相结合的养殖模式也是畜牧业低碳的重要方式。

关于农业可持续发展，农业部部长韩长赋指出：2013年，我国的粮食生产

林下养鸡（蒋高明 摄）

实现了"十连增"，农民增收实现了"十连快"，农业形势好，为保持经济的持续健康发展奠定了坚实的基础。但要素资源绷得很紧，要保护耕地建设高标准农田，搞节水农业推广旱作技术，加强农业环境保护，减少农药使用，加强农业后备资源的保护，不轻易开垦。

存得方寸地，留与子孙耕。保护农业资源，建设低碳农业，实现可持续发展，保持粮食稳定发展，保持重要农产品的有效供给，才是我们回报大地恩泽的行动。

聚焦 2

低碳工业：
难估量的金山银山

无农不稳、无工不富。工业对于经济社会发展尤为重要，然而工业也是我国能源消耗及温室气体排放的主要领域，2010 年，工业能源消耗达到 21 亿吨标准煤，占全社会总能源消耗的 65%，占全国化石能源燃烧排放二氧化碳的 65% 左右。重化工业是工业能源消耗和温室气体排放的重点领域，钢铁、有色金属、建材、石化、化工和电力六大高耗能行业占工业化石能源燃烧二氧化碳的 71% 左右。工业温室气体排放除了能源相关的排放之外，工业生产过程温室气体排放占全国非化石能源燃烧温室气体排放的 60% 以上，工业生产过程二氧化碳排放占全国二氧化碳排放的 10% 左右。实现绿色发展、低碳发展，工业领域是重点。

"十一五"期间，工业领域把应对气候变化与转变工业发展方式相结合，采取多种措施，大力推进节能减排，减少温室气体排放成效显著。产业结构不断优化、工业节能成效显著、资源综合利用和清洁生产水平不断提高、节能产品推广应用取得明显成效。 但仍存在诸多问题：产业结构调整缓慢，工业能源消耗和二氧化碳排放增速过快；工业技术装备水平参差不齐，先进与落后并存，能效水平整体上与国外存在较大差距；工业应对气候变化管理体制和机制不够健全，政策不够完善；工业企业应对气候变化的意识、管理和能力薄弱，企业主体作用和市场机制作用没有充分发挥。

我国高度重视气候变化问题，把应对气候变化作为国家经济社会发展的重大战略，提出到 2020 年我国单位国内生产总值二氧化碳排放比 2005 年下降 40%～45% 的宏伟目标，并作为约束性指标纳入国民经济和社会发展中长期规划。工业作为应对气候变化的重要领域，为贯彻落实《国民经济和社会发展第十二个五年规划纲要》、国务院《"十二五"工业转型规划》和《"十二五"控制温室气体排放工作方案》，推动工业低碳发展，促进发展方式转变，工业和信息化部、国家发改委、科技部和财政部于2012年底联合发布了《工业领域应对气候变化行动方案（2012～2020年）》。国务院又印发了《2014～2015年节能减排低碳发展行动方案》，明确将加快发展低能耗低排放产业，力争到2015年服务业和战略性新兴产业增加值占GDP的比重分别达到47％和8％左右，到2015年，节能环保产业总产值达到4.5万亿元。

当前，全国工业系统节能与综合利用工作正按照十八届三中全会关于深化改革的要求，以工业绿色低碳转型为目标，以工业绿色发展专项行动为抓手，在政策、机制、法规、制度方面下功夫，切实加强调查研究，探索推进节能减排长效机制建设，着力抓好节能降耗、清洁生产、循环经济和资源综合利用等各项工作，促进工业转型升级，力争年内单位工业增加值能耗及二氧化碳排放量下降4.5％以上，万元工业增加值用水量下降7％，工业固体废物综合利用率进一步提高，重点行业污染物排放强度明显下降。

2014年5月29日，工业和信息化部、国家发改委发布了《关于国家低碳工业园区试点名单（第一批）的公示》，共有55个园区进行工业低碳转型探索。低碳工业园区试点工作通过选择一批基础好、有特色、代表性强、依法设立的工业园区，通过试点建设，大力使用可再生能源，加快钢铁、建材、有色、石化和化工等重点用能行业低碳化改造；培育积聚一批低碳型企业，推广一批适合我国国情的工业园区低碳管理模式，试点园区碳排放强度达到国内行业先进水平，引导和带动工业低碳发展。

放眼今日中国的大小城市，"低碳"已成为工业发展的主旋律。既要金山银山又要绿水青山，许多城市在发展工业上用行动做出了回答。传统支柱产业全面升级、循环经济产业异军突起、清洁能源产业大步跨越、钒钛产业方兴未艾、新兴电子产业"无中生有"、绿色食品市场占有率持续上升……

聚焦 3

低碳能源：
可持续的清洁道路

在我国能源使用方面，交通石油消耗量占化石能源消耗总量的 40% 左右，且与日俱增。我国汽车销售量自 1992 年以来便以每年两位数的百分比上升，2013 年，汽车销售量更是达到 2000 万辆，交通能耗给国家能源安全造成了巨大压力。此外，化石能源的燃烧会产生大量二氧化碳，交通领域温室气体的排放对大气造成严重污染。2005 年，我国温室气体排放总量约为 74.67 亿吨二氧化碳当量，其中能源活动的温室气体排放量为 57.69 亿吨，在排放总量中的比重达到 77.27%。

低碳能源是指利用过程中产生较少二氧化碳等温室气体的能源。国际上通常将煤炭、石油、天然气等化石能源称为高碳能源或传统能源，因为它们单位能量中产生的二氧化碳量远高于其他能源。相对应，风能、太阳能、氢能、核聚变能、潮汐能、波浪能、生物质能、地热能等统称为低碳能源。

发展低碳能源既是应对全球气候变化的战略选择，也是破解我国发展面临的资源环境瓶颈的必由之路。根据我国经济社会发展需要和生物质能利用技术状况，采取切实措施继续控制能源消费总量、提升清洁能源利用、加大天然气等清洁能源替代、加快重点污染源治理，促进能源消费和结构转型。具体来讲，就是要大幅降低煤电占比；到 2015 年，非化石能源消费比重提至 11.4%；到 2017 年，非化石能源消费比重提高至 13%。降低煤炭消费比重，到 2017 年降至 65% 以下。京津冀、长三角、珠三角等区域力争实现煤炭消费总量负增长，京津冀鲁合计净削减煤炭消费量 0.83 亿吨。控制火电项目，除热电联产外，京津冀、长三角和珠三角区域新建燃煤发电项目将不再审批。要大力发展水电、风电、太阳能和核电，装机容量将分别从 2013 年底的 28000 万千瓦、7550 万千瓦、

1800万千瓦和1460万千瓦增长至
2015年底的29000万千瓦、10000
万千瓦、3500万千瓦和4000万千
瓦，并在2017年底进一步提高
至33000万千瓦、15000万千瓦、
7000万千瓦和5000万千瓦。与此
同时，慎重发展污染环境、安全度
低的产业。推进以天然气、能源绿
色技术为主要内容的化石能源高效
清洁利用。

北京延庆太阳能
发电站

为配合可再生能源的发展，国
家将启动风电基地和外送通道建设，启动承德二期、乌兰察布、锡林郭勒等风
电基地建设，争取张家口风电送出通道竣工投产，并推进东部区分布式光伏和
风电项目建设。

为保障清洁能源供应，在资源环境可承载的前提下，推进鄂尔多斯、锡盟、
晋北、晋中、晋东、陕北、宁东、哈密、淮东9个以电力外送为主的千万千瓦
级现代化大型煤电基地建设。并采用安全、高效、经济先进输电技术，推进鄂
尔多斯盆地、山西、锡盟能源基地向华北、华东地区以及西南能源基地向华东
和广东省的输电通道建设，规划建设蒙西—天津南、锡盟—山东等12条电力
外输通道，进一步扩大北电南送、西电东送规模。

加速天然气等清洁能源替代步伐，力争天然气占一次能源消费总量的比重
从2013年的5.9%提升至2015年的7%以上，并在2017年超过9%。

通过体制和机制创新，采取切实举措，认真贯彻"保护生态环境就是保护
生产力，改善生态环境就是发展生产力"的发展理念，实现宏观经济发展平稳、
生态环境保护良好、能源资源有效利用、生活质量稳步提升，做到经济社会与
资源环境的可持续协调发展。

聚焦 4

碳汇：
林业的特殊功能

以变暖为主要特征的全球气候变化是当今人类社会面临的最大威胁之一，日益受到世界各国的广泛关注，成为当今国际政治、经济、环境和外交领域的热点。应对气候变化，拯救地球家园，是全人类共同的使命，是一项全新的惠及全球、全人类的伟大事业，需要全社会的广泛支持和积极参与。

《联合国气候变化框架公约》将碳汇定义为从大气中清除二氧化碳的过程、活动或机制。森林是陆地生态系统的主体，通过光合作用可将大气中的二氧化碳吸收并固定在植被与土壤中。我们将森林减少或降低大气中二氧化碳浓度的过程、活动或机制称为森林碳汇，结合湿地保护、荒漠化治理等，通常也称为林业碳汇。由于森林在减缓和适应气候变化中的独特作用，增加林业碳汇成为国际社会认同的应对气候变化的重要措施之一，并在国际气候变化谈判进程中达成最为广泛的共识。通过植树造林、加强森林经营增加碳汇和保护森林减少排放是国际社会公认的未来 30～50 年减缓和适应气候变化成本较低、经济可行的重要措施，并据此催生了发达国家和发展中国家互利互惠的清洁发展机制 (CDM)、造林／再造林项目的实施和林业碳汇交易。

党中央、国务院高度重视林业应对气候变化工作，指出在应对气候变化中林业具有特殊地位，强调应对气候变化必须把发展林业作为战略选择。2009 年 9 月，胡锦涛同志在联合国气候变化峰会开幕式上发表演讲，"中国要大力增加森林碳汇，到 2020 年森林面积比 2005 年增加4000 万公顷，森林蓄积量比 2005 年增加 13 亿立方米"（简称"双增

中国绿色碳汇
基金会会标

目标）。据此，林业"双增"目标成为中国政府自主控制温室气体排放国际承诺的三项重要内容之一。2010年7月19日，经国务院批准，国内首家以增汇减排、应对气候变化为目标的全国性公募基金会——中国绿色碳汇基金会在民政部登记注册成立。

为履行国际承诺，建设生态文明，推进可持续发展，我国大力开展植树造林，增加森林碳汇，科学应对气候变化。随着我国重点林业生态工程天然林保护、退耕还林还草的实施，植树造林取得了巨大成绩，据第八次（2009～2013年）全国森林资源清查，中国人工造林保存面积达到69万平方千米，人工林面积居世界第一。全国森林面积达到208万平方千米，森林覆盖率从20世纪90年代初期的13.92%增加到2013年的21.63%。全国森林植被总碳储量达84.27亿吨，比第七次全国森林资源清查结果增加6.16亿吨。取得了自20世纪80年代中期以来，森林总量持续增长、森林质量不断提高的骄人业绩。实施自然保护区建设等生态建设与保护政策，进一步增强了林业作为温室气体吸收碳汇的能力。与此同时，全国城市绿化工作也得到了较快发展，2014年中国城市建成区绿化覆盖面积达到19075平方千米，绿化覆盖率为39.7%，城市人均公共绿地12.64平方米，这部分绿地对吸收大气二氧化碳也起到了一定的作用。据专家估算，1980～2005年中国造林活动累计净吸收约30.6亿吨二氧化碳，森林经营累计净吸收16.2亿吨二氧化碳，减少毁林排放4.3亿吨二氧化碳。中国林业建设的长足发展，为减缓全球气候变暖、改善生态环境做出了巨大贡献。

然而，我国仍然是一个缺林少绿、生态脆弱的国家，森林覆盖率远低于全球31%的平均水平，人均森林面积仅为世界人均水平的1/4，人均森林蓄积只有世界人均水平的1/7，森林资源总量相对不足、质量不高、分布不均的状况仍未得到根本改变，林业发展还面临着巨大的压力和挑战。我们需要狠抓森林资源可持续经营，提升森林质量和效益，在现有基础上，大幅度提升单位面积的林分生长量，从而增加现有森林的碳吸收能力，为经济社会发展提供更多、更好的优质木材，为全国人民提供更好的生产、生活环境，为建设生态文明和美丽中国做出更大的贡献。

聚焦 5

低碳教育：
从娃娃抓起

"低碳"，这个一度连成年人都要理解半天的环保新名词，近年来却通过多种形式走近广大青少年，在培养一代人环境价值观的同时，也带给他们更健康、快乐的童年。

一项调查显示，近九成人不了解"低碳"的含义，因而走适合我国特色的低碳之路首先要走普及教育之路，要向广大青少年普及低碳知识，树立其忧患意识，让他们践行低碳理念，"低碳环保从娃娃抓起、从教育抓起"。

10年间，由教育部、世界自然基金会和BP公司共同发起实施的"中国中小学绿色教育行动"，已辐射到全国近50万所中小学和2亿名中小学生。项目虽已结束，留下的是环境教育在中国的可持续发展。

孩子们笔下哭泣的地球

配合全国节能宣传周、全国低碳日等活动的开展，全国各地的教育主管部门、中小学校和幼儿教育机构，结合各年龄段学生、孩子的认知能力，采取各种措施，开展了丰富多彩、寓教于乐的低碳、节能宣传活动。中国人民大学附属小学每年都要举办"小妙会"义卖活动，将已经用过的玩具、文具、书本和废旧物品变废为宝的作品在"小妙会"交易，所得收入全部捐赠给需要帮助的地区。2013年的"小妙会"义卖筹集10万元，就全部捐赠给四川雅安市禹城区多营镇中心小学，以此支援学校地震灾后重建。学校还常年举办"绿色校园，绿色行动"，定期回收废书报纸、废旧物品，建立学校环保基金，奖励全校特别突出的 80 个班级学生的低碳环保行动。

2013 年 9 月 26 日，教育部在北京召开中小学节约教育工作推进会，推动落实中小学节约教育工作，指导开展好节粮、节水、节电教育活动。教育部基础教育一司、中国下一代教育基金会低碳教育基金、上海交通大学出版社等单位联合启动了《勤俭节约伴我行》节约教育读本的捐赠活动，首批向全国 500 所中小学校免费赠送读本 25 万册。同日，北京白纸坊小学学生在"手拉手，节约路上一起走"主题校会上，向全国小学生发出《节约倡议书》，呼吁勤俭节约、低碳环保。有的幼儿园设立"小值日生""环保员"等岗位，岗位上的小朋友负责关灯、关水、节能等工作；经常举办节能环保的亲子互动，将低碳环保主题编排成节目，这些活动帮助孩子树立低碳环保的理念，并将低碳理念贯彻到实际生活中，很多孩子还在生活中提醒家长，形成互动。

中国科协自 2013 年开始，将林业碳汇列入向中小学生普及的科普内容，邀请中国绿色碳汇基金会的专家加入讲师团，先后到吉林和宁夏开展科普教育活动。中国绿色碳汇基金会与北京第二外国语学院附属中学联合编写了生态文明教育中学读本《林业碳汇与气候变化》，并向北京二中、云南普洱一中、贵州贵阳十七中等中小学免费赠送上万册，以此普及林业碳汇知识、宣传环境保护理念。该教材已被部分中学纳入教学计划。

据了解，在现在中小学的学习内容中，无论是语文、数学、地理、化学等都渗透了环境教育。在新一轮的课程改革过程中，在各种课程标注里已经把低碳环保教育的要求渗透到各个学科。

"低碳"是个新概念，提出的却是全球可持续发展的老问题，反映了人类因气候变化而对未来产生的担忧，全球变暖等气候问题致使我们不得不考量目前的生态环境。绿色低碳，对我们普通人来说，是一种态度，而不是能力，需要从点滴做起。

聚焦 **6**

点滴之间 全民行动

对于我们普通人来说，低碳生活是一种态度，通俗一点说，低碳生活就是在生活中减低碳的排放。只要我们在工作和生活中牢固树立低碳意识并身体力行，养成环保的、健康的生活习惯，人人都可以"低碳"。低碳生活并不难。它仅仅需要你从改变目前的生活态度和生活习惯做起，就能产生低碳效果。我们倡导低碳生活并不是让人们回到原始状态，贫困不是低碳经济，低碳经济的目标是低碳高增长，是为了人类可持续发展。

及时关电源，尽量不使用一次性杯子，多乘公交车，选择小房子，打开一扇窗，自备购物袋，种一棵树……做着这些点点滴滴的小事，正代表着我们朝低碳生活的目标努力。低碳生活不是口号，而是通过人们履行自己的义务实现的。

1990年，国务院第六次节能办公会议决定，从1991年开始，每年举办全国节能宣传周活动。鉴于全国性的缺电状况，2004年全国节能宣传周活动由原来的11月改为6月举行，目的是在夏季用电高峰到来之前，形成强大的宣传声势，唤起人们的节能意识。全国节能宣传周经历十几年的发展与完善，已经发展为由国家发展和改革委员会、教育部、科学技术部、工业和信息化部、环境保护部、住房和城乡建设部、交通运输部、农业部、商务部、国务院国有资产监督管理委员会、国家新闻出版广电总局、国务院机关事务管理局、中华全国总工会、共青团中央十四个部门联合主办，在社会上形成强大的影响力。每届全国节能宣传周都会有其特有的宣传主题与宣传口号，并且结合该主题在全国各地开展各项不同的活动，旨在不断地增强全国人民的"资源意识""节能意识"和"环境意识"。2014年的主题是"携手节能低碳，共建碧水蓝天"。

　　为积极响应国家"节能我行动，低碳新生活"的号召，提高能源利用效率，进一步增强节能意识，发挥公共机构在全社会节能中的表率作用，推进节约型公共机构建设，多数省（自治区、直辖市）把6月14日定为"低碳体验日"。这一天，办公区域空调、公共区域照明停开一天；一些公共建筑原则上停开电梯，高层建筑电梯分段运行或隔层停开；所有景观照明灯、装饰用灯关闭一天；倡导低碳出行，上下班乘坐公共交通工具、骑自行车或步行，公务出行尽量乘坐公共交通或拼车出行。

　　"地球一小时"，也称"关灯一小时"，是世界自然基金会在2007年向全球发出的一项倡议，以此来激发人们对保护地球的责任感，以及对气候变化等环境问题的思考，表明对全球共同抵御气候变暖行动的支持。这一项全球性的倡议活动，以惊人的速度席卷全球，大家纷纷以不同方式参与这个活动。

　　每年的世界地球日、世界环境日和全国低碳日，中国绿色碳汇基金会都与有关机构联合举办内容丰富、形式多样的低碳环保宣传活动。为公众搭建了践行实践生活、享受低碳生活和展示低碳风采的创新平台。

　　为了保护我们共同的家园，为了让我们的子孙后代生活得更好，每个人都从自己做起，从现在做起，从点滴做起。

低碳出行

第三章

圆梦：守望美好家园

　　建设生态文明是一场涉及生产方式、生活方式、思维方式和价值观念的革命性变革。习近平总书记指出："只有实行最严格的制度、最严密的法治，才能为生态文明建设提供可靠保障。"推进生态文明建设，要完善经济社会发展考核评价体系，要建立责任追究制度，要建立健全资源生态环境管理制度。

　　　　　　　　——摘自中共中央宣传部《习近平总书记系列重要讲话读本》

　　2013年5月24日，习近平总书记在中央政治局第六次集体学习时指出：要实施重大生态修复工程，增强生态产品生产能力。环境保护和治理要以解决损害群众健康突出环境问题为重点，坚持预防为主、综合治理，强化水、大气、土壤等污染防治，着力推进重点流域和区域水污染防治，着力推进重点行业和重点区域大气污染治理。

　　要完善经济社会发展考核评价体系，把资源消耗、环境损害、生态效益等体现生态文明建设状况的指标纳入经济社会发展评价体系，使之成为推进生态文明建设的重要导向和约束。一定要彻底转变观念，再不以GDP增长率论英雄。如果生态环境指标很差，一个地方一个部门的表面成绩再好看也不行，不说一票否决，但这一票一定要占很大的权重。

　　要建立责任追究制度，主要对领导干部的责任追究。对那些不顾生态环境盲目决策、造成严重后果的人，必须追究其责任，而且应该终身追究。真抓就要这样抓，否则就会流于形式。不能把一个地方环境搞得一塌糊涂，然后拍拍屁股走人，官还照当，不负任何责任。

　　要建立健全资源生态环境管理制度，加快建立国土空间开发保护制度，强化水、大气、土壤等污染防治制度，建立反映市场供求和资源稀缺程度、体现生态价值、代际补偿的资源有偿使用制度和生态补偿制度，健全生态环境保护责任追究制度和环境损害赔偿制度，强化制度约束作用。

青山有梦，傲立苍穹；绿水有梦，花草葱茏；民族有梦，美好家园。

寻梦，生态文明的中国探索；追梦，生态保护的绿色增长，生态建设的中国行动；圆梦，绿水青山美好家园，美丽中国永续发展……

20世纪50年代毛泽东曾发出"绿水青山枉自多，华佗无奈小虫何"的慨叹，大好河山怎能被区区小虫而腐蚀？同样的困境也在今天出现并成为阻碍我们发展的绊脚石。当代中国的经济列车在高速运转的背后，派生出重重的矛盾与弊端，一方面经济总量持续增长，综合国力不断攀升，另一方面，不平衡、不协调、不可持续问题亟待应对，经济增长的内生动力亟待开启。

今天，我们在世界第二大经济体的耀眼光环下，站在了历史的更高起点上，但深化改革愈发艰难，"发展起来后的问题，一点不比不发展时少"。资源、环境、生态，处处都是民生；投资、消费、结构，时时都有变数。

以习近平同志为总书记的党中央，清醒地分析了面临的风险与挑战，指出必须加强生态文明建设，增强忧患意识，把控经济全局，确保中国经济社会持续健康发展。可以说，今天的中国对生态的重视前所未有，全民建设的力度前所未有，全国人民正意气风发地在生态建设道路上圆梦。

面对生态资源日益紧缺、生态需求日益高涨之间的矛盾，如何激发生态建设长久可持续推进的内生动力？国家落地生态红线，使生态安全有了生命线和保障线；生态文明建设从硬实力延伸到软实力，生态制度从确立到完善已经成为生态文明建设进程中的重要一环；传统的发展方式所带来的不充分发展和其副作用已经被人们所认知，转型发展正在有序推进。

生态红线的划定，生态制度的确立和完善，生态建设的加紧推进，让我们对未来的生态家园有了更多的期待；令人瞩目的成绩和切身感受到的点滴变化，让我们对未来的生态家园有了更多的耐心；离群众需求仍相差甚远的生态现状，提醒我们未来的生态家园还有更多的改善空间。

林业是生态建设的本体。今天的生态林业建设数量，就是明天的民生林业经济总量；今天的林业投资结构，就是明天的林业产业结构。国家林业局要求全国务林人切实抓好各项林业重点工作，严守森林、湿地、沙区植被、物种保护4条生态保护红线，制定最严格的生态保护红线管制原则和管理办法；强化干旱半干旱地区造林，是我国今后造林绿化的重点难点和主要任务；科学实施森林经营，是加快培育健康稳定森林生态系统的必由之路，我国有16亿亩中幼林，是提高森林质量的潜力所在，只要长期坚持科学经营，完全能够达到林业发达国家的经营水平；实施生态修复工程，结合新一轮退耕还林，开展退耕还湿、重金属污染耕地治理及退化防护林改造试点，把生态修复工程与发展生态林业和民生林业有机结合起来，以改善生态推动民生改善，以改善民生促进生态改善；发展绿色富民产业，编制产业规划体系，科学合理布局，完善产业政策，加大扶持力度；加强城镇生态建设，借鉴发达国家经验，把森林、湿地、绿地、各类公园等作为有生命的重要基础设施列入城镇建设规划，构建以森林为主体、城乡一体的城镇生态系统，让居民看得见绿水青山，享受得到生态产品，生活在绿色美丽的城镇中。

"圣人恒无心，以百姓之心为心。"习近平总书记对生态的重视，契合了百姓对生态的期许，中国梦，离不开天蓝、地绿、水清的美好家园。在"天人合一"的传统文化滋养下，我们需要再多一些对现代工业文明的深刻省思，多一些对"生态红线"深入骨髓的认知觉醒，多一些对生态制度的严格恪守，用生态的思维去思考发展的路径，将生态当做衡量一切发展的尺度，让美丽中国梦想不再遥远。

第一节 守生态红线，寻锦绣山河之梦

（一）生态红线，生态安全的保障基线

这是一个国家的生态觉醒，这是一个民族的自然敬畏。

2000年，学者高吉喜在浙江省安吉县提出生态红线概念，并划出生态红线区域。

13年后的2013年，生态红线上升到国家战略，成为一个国家级的生命线。

在这一年，党的十八届三中全会召开，在这场被评价为是真正触及灵魂的变革开始的会议上，通过了重要文件《中共中央关于全面深化改革若干重大问题的决定》，其中明确提出，要加快生态文明制度建设，用制度保护生态环境。《决定》中关于划定生态保护红线的部署和要求成为生态文明建设的重大制度创新。

在国家层面上，"生态"的地位正越来越高。"生态"作为生物在一定的自然环境下生存和发展的状态，是一个不断发展演进的系统。"红线"是更加慎重的警戒，两个词语的结合成为中国社会乃至全球关注的热点。生态红线是指生态系统在发展演进中生态平衡被打破，导致生态系统衰退甚至崩溃的临界状态。生态红线是保证生态安全的底线，具有约束性和强制性，是维护国家或区域生态安全和可持续发展的需要，是生态系统完整性和连通性的保护需求。从"18亿亩耕地红线"到生态保护红线，国家层面的红线思维从粮食安全扩展到生态安全。

生态保护红线关键有以下几条：

第一条是重要生态功能区保护红线。涉及水源涵养、保持水土、防风固沙、调蓄洪水等生态功能区。这是一条经济社会的生态保护安全线，是国家生态安全的底线，能够从根本上解决经济发展过程中资源开发与生态保护之间的矛盾。

第二条是生态脆弱区或敏感区保护红线。即重大生态屏障红线，可以为城市、城市群提供生态屏障。建立这条红线，可以减轻外界对城市生态的影响和风险。

第三条是生物多样性保育区红线。这是我国生物多样性保护的红线，是为

保护的物种提供最小生存面积。红线就是底线，如果再开发就会危及种群安全，非常紧迫。

耕地红线和生态保护红线，这两个红线有很大的不同。

耕地红线是一个数据上的概念，是进行耕种的土地面积最低值，确保的是总量。比如某一块地被占用了，可以通过村庄搬迁、矿山整治等办法占补平衡，保障总量；而生态红线在空间上具有不可替代性和无法复制性，从这个意义上来说，生态红线的重要性更大。比如某块区域是大熊猫栖息地，如果被破坏就没法恢复。所以生态红线绝不能再更改，它是生态安全的底线。

2013年5月24日，习近平总书记在中央政治局第六次集体学习时指出："要正确处理好经济发展同生态环境保护的关系，决不以牺牲环境为代价去换取一时的经济增长。要坚定不移加快实施主体功能区战略，严格按照优化开发、重点开发、限制开发、禁止开发的主体功能定位，划定并严守生态红线。要牢固树立生态红线的观念。在生态环境保护问题上，就是要不能越雷池一步，否则就应该受到惩罚。"

肩负重大生态使命的中国林业再一次冲在了祖国生态建设的最前沿，率先划定4条生态红线成为中国生态红线的最早根系。

2013年7月，国家林业局便启动了"生态红线保护行动"。发布了林业部门生态红线划定成果——《推进生态文明建设规划纲要（2013～2020年）》，划出4条生态红线，这4条生态红线分别是：林地和森林红线，全国林地面积不低于46.8亿亩，森林面积不低于37.4亿亩，森林蓄积量不低于200亿立方米；湿地红线，全国湿地面积不少于8亿亩；沙区植被红线，全国治理和保护恢复植被的沙化土地面积不少于53万平方千米；物种红线，确保各级各类自然保护区严禁开发，现有濒危野生动植物得到全面保护。

国家林业局成为生态红线概念提出后，第一个划定生态红线的部委。之所以不可等、慢不得，是因为林业部门知道生态红线对于林业的重要性，也知道林业将为生态红线做些什么。

稍加分析，不难发现，这4条生态红线大多高于我国现有资源量。红线既然是底线，为何要高设？

近10年间，我国工业化突飞猛进，城镇化加速推进。曾经"绿树村边合，青山郭外斜"的乡土中国，如今在机器轰鸣中成为人们渐行渐远的记忆；即便保护生态的各种口号已经耳熟能详，但却没有真正根植于心、贯彻于行，当经济发展与生态保护发生冲突时，生态往往仍在给经济让路。因此，当一个世界第二大经济体崛起于东方的时候，也日渐面临着资源约束趋紧、环境污染严重、生态系统退化等严峻考验。30多年快速发展积累下来的环境和生态问题，如今进入了高强度频发阶段，特别容易引发连锁反应。

红线是持续发展的底线，但由于我国过去生态透支太多，现有的生态家底已经不能满足人民群众日益增长的生态需求。

建设生态红线，就是要加大力度弥补过去的生态欠账。

生态红线虽然高于现有资源量，但并非遥不可及。根据第八次全国森林资源清查（2009～2013年）结果显示，我国现有森林面积31.2亿亩，近些年我国每年造林八九千万亩，照这个势头，再过几年就能达到37.4亿亩的红线。

但另一方面，必须看到，我国生态系统退化、生态状况恶化的趋势还在继续。在发展冲动和政绩推动驱使下，不少地方还在继续透支着本已脆弱的生态，林地、湿地等还在被乱征滥占不断蚕食，空气、土壤、水体等污染还在进一步加剧……

生态保护红线显然已经成为生态安全的底线、环境保护的铁线、可持续发展的生命线、人民生命健康的保障线，生态红线需要严格的制度保障。

党的十八届三中全会公报明确指出："要健全自然资源资产产权制度和用途管制制度，划定生态保护红线，实行资源有偿使用制度和生态补偿制度，改革生态环境保护管理体制。"

2013年5月24日，习近平总书记在中央政治局第六次集体学习时指出："要坚定不移加快实施主体功能区战略，严格按照优化开发、重点开发、限制开发、禁止开发的主体功能定位，划定并严守生态红线。"又指出："要建立责任追究制度，对那些不顾生态环境盲目决策、造成严重后果的人，必须追究其责任，而且应该终身追究，在生态保护问题上，不能越雷池一步，否则就应该受到惩罚。"

严格的制度约束、严密的法治，自然是生态文明建设的强力保障，必须在实践中不断加以落实完善。各级领导干部也要树立正确的政绩观和发展观，增强坚守生态红线的自觉性和主动性。

那么，如何保障"生态红线"？

生态红线要想真正发挥出作用，就不能把它淡化为红绿不分、含糊不清的"灰线"，成为显摆政绩的弹性指标；必须使它成为不可触摸、无法逾越的"高压线"，只要越雷池一步就会受到严厉惩罚。在新形势下，如何做到生态红线刚性强硬、生态环境逐步好转，这需要方方面面的努力和协作。

有效保障生态保护红线不被逾越，确保红线落地，必须从制度、体制和机制入手，建立严格遵行生态保护红线的基础性和根本性保障。建立健全自然资源资产产权和用途管制制度，建立自然资源资产负债表制度，建立生态、资源和环境风险监测预警和防控机制，完善基于生态保护红线的产业环境准入机制，实施生态保护红线区域补偿机制，健全排污权有偿交易机制，建立生态保护红线考核与责任追究机制。

我国第一次提出健全国家自然资源资产管理体制和完善自然资源监管体制，意义重大。健全国家自然资源资产管理体制是健全自然资源资产产权制度的一项重大改革，也是建立系统完备的生态文明制度体系的内在要求。我国生态环境保护中存在的一些突出问题，一定程度上与体制不健全有关，原因之一是全民所有自然资源资产的所有权人不到位，所有权人权益不落实。针对这一问题，党的十八届三中全会决定健全国家自然资源资产管理体制。总的思路是按照所有者和管理者分开和一件事由一个部门管理的原则，落实全民所有自然资源资产所有权，建立统一行使全民所有自然资源资产所有权人职责的体制。国家对全民所有自然资源资产行使所有权并进行管理和国家对国土范围内自然资源行使监管权是不同的，前者是所有权人意义上的权利，后者是管理者意义上的权力。这就需要完善自然资源监管体制，统一行使所有国土空间用途管制职责，使国有自然资源资产所有权人和国家自然资源管理者相互独立、相互配合、相互监督。我们要认识到，山水林田湖是一个生命共同体，人的命脉在田，田的命脉在水，水的命脉在山，山的命脉在土，土的命脉在树。用途管制和生态修复必须遵循自然规律，如果种树的只管种树、治水的只管治水、护田的单纯护田，很容易顾此失彼，最终造成生态的系统性破坏。由一个部门负责所有国土空间用途管制职责，对山水林田湖进行统一监管是十分必要的。

绿色大地（周英芬 摄）

（二）生态修复，生态欠账的弥补救赎

不断出现的生态危机，严重制约了我国经济的可持续发展，甚至已经成为人类维持生存和社会经济可持续发展的严重威胁，危及人民生命财产的安全，生态问题从未像现在这样突出地呈现在人们面前，考验着我们的智慧。

生态修复是指对生态系统停止人为干扰，以减轻负荷压力，依靠生态系统的自我调节能力与自组织能力使其向有序的方向进行演化，或者利用生态系统的这种自我恢复能力，辅以人工措施，使遭到破坏的生态系统逐步恢复或使生态系统向良性循环方向发展。生态恢复主要指致力于那些在自然突变和人类活动影响下受到破坏的自然生态系统的恢复与重建工作。

生态修复是整治日趋恶化的生态环境，防止自然生态环境退化的重要手段，是改善生态环境、提高区域生产力、实现可持续发展的关键。

1978年以来我国实施一系列林业重大生态修复工程，覆盖了63%的国土，涉及森林、湿地、荒漠三大自然生态系统，覆盖范围之广、建设规模之大、投资额度之巨，堪称世界之最。但我国生态欠账仍很多，生态修复任务十分艰巨。

2013年5月24日，中共中央政治局就大力推进生态文明建设进行第六次集体学习。习近平总书记在主持学习时强调，要实施重大生态修复工程，增强生态产品生产能力。环境保护和治理要以解决损害群众健康突出环境问题为重点，强化水、大气、土壤等污染防治，着力推进重点流域和区域水污染防治，着力推进重点行业和重点区域大气污染治理。

古人云："知之非艰，行之惟难。"一方面，生态透支很快、很强硬，但生态修复却是一个漫长而艰巨的任务。病来如山倒，病去如抽丝，环境治理、生态恢复有其客观规律，只能遵循，无法超越，解决起来得有耐心，还要一任接着一任、一代接着一代地接力传承。另一方面，生态保护和改善必须有只争朝夕的干劲，因为稍有懈怠，又将花费更大的精力、付出更大的代价，发达国家通常在人均GDP 1万美元时才出现环境拐点，但韩国却在人均5000美元时就转型为新兴工业化国家，我们不能坐等发展阶段的自动升级，发展方式的转型谋变已经时不我待。

生态修复，林业当先。

其一，全面推进造林绿化。2013年4月2日上午，习近平总书记在参加首都义务植树活动时强调，要加强宣传教育、创新活动形式，引导广大人民群众积极参加义务植树，不断提高义务植树尽责率，依法严格保护森林，增强义务植树效果，把义务植树深入持久开展下去，为全面建成小康社会、实现中华民族伟大复兴的中国梦不断创造更好的生态条件。

其二，实施林业重大工程。党的十八大报告中明确指出，要实施重大生态修复工程，增强生态产品生产能力。2014年1月，习近平总书记在内蒙古考察时又强调，要积极探索加快生态文明制度建设。推动生态文明建设重点做到以下几点：一是继续组织实施好重大生态修复工程，搞好京津风沙源治理、三北防护林体系建设、退耕还林、退牧还草等重点工程建设。二是大力推进节能减排和环境保护。三是积极探索加快生态文明制度建设。

在具体实践中，应加强工程实施的针对性和有效性。对尚未遭受破坏的生态系统进行严格保护，实施好野生动植物保护及自然保护区建设等工程；对遭受一定程度破坏的生态系统，加强保护，休养生息，实施好天然林资源保护、湿地保护等工程；对很难自我恢复或需要漫长时间才能恢复的生态系统，通过人工辅助措施，加快恢复步伐，实施好三北防护林、京津风沙源治理等工程；对已完全破坏的生态系统，通过人工措施加以恢复重建，实施好退耕还林、石漠化治理、农田防护林等工程。

截至目前，我国针对不同区域生态问题，实施了十大生态修复工程，包括：三北防护林体系建设工程、京津风沙源治理工程、天然林资源保护工程、退耕还林工程、野生动植物保护及自然保护区建设工程、湿地保护工程、平原绿化工程、长江流域防护林体系建设工程、沿海防护林体系建设工程、重点地区速生丰产用材林基地建设工程。这十大生态修复工程是国家重点生态修复工程的主体。

广西山口红树林

第二节 谋生态福祉，追和谐家园之梦

（一）生态福祉，普惠民生的生态愿景

2013 年，习近平总书记在海南考察时强调："良好生态环境是最公平的公共产品，是最普惠的民生福祉。"这一科学论断深刻揭示了生态与民生的关系，既阐明了生态环境的公共产品属性及其在改善民生中的重要地位，同时也丰富和发展了民生的基本内涵。

习近平总书记强调，在前进道路上，我们一定要坚持从维护最广大人民根本利益的高度，多谋民生之利，多解民生之忧。生态环境一头连着人民群众生活质量，一头连着社会和谐稳定；保护生态环境就是保障民生，改善生态环境就是改善民生。走生态文明之路，既是当今世界发展的主流和趋势，也是人民群众的共同愿望和追求。注重生态福利的民生观，开辟了人民福祉的新境界。

改革开放 30 多年来，我国取得举世瞩目的发展成就，面对世情、国情、党情发生的新变化，面对中国同世界关系的持续深化，面对中国人民对幸福生活的新期待，面对百姓对物质文化生活需求的升级。我们也不得不面对环境问题的频发多发，生态环境供给与需求矛盾的日益突出。良好生态环境是人类生存和发展的必备条件，是社会健康发展的重要标志。人们希望安居、乐业、增收，也希望天蓝、地绿、水净。建设生态文明，满足人民群众日益增长的生态环境需求是民之所望、政之所向。

习近平总书记的精辟论断，既是对生态产品的准确定位，又是对民生内涵的丰富发展，体现了对自然的尊重，对人民健康的尊重，彰显了以人为本的执政理念。

按照党中央、国务院的部署，我国将自 2015 年起分步骤扩大停止天然林商业性采伐的范围，最终全面停止天然林商业性采伐，把所有天然林都保护起来，为维护国家生态安全提供根本保障。管仲在《管子·立政》中说，"草木不植成，国之贫也""草木植成，国之富也"。森林蕴育着巨大的自然财富，为国家的绿色发展提供了重要的物质基础，保护天然林，功在当代，利在千秋。停止天然林商业性采伐是贯彻落实习近平总书记关于生态文明建设重大战略思

想、转变林业发展方式、维护国家生态安全、建设美丽中国的重大战略举措。如今，"停伐"的号角更加响亮，中国林业正加快推进由以木材生产为主向以生态建设为主、由采伐天然林向采伐人工林两大历史性转变。

停伐令和十年来中国生态文明理念深入推进的思路相吻合，但是其展示出的壮士割腕的改革决心却令世界惊叹。而这不过也只是新时代下生态求索中的沧海一粟。

无论是生态红线的划定，还是生态制度的确立，中国正在以生态文明破解改革发展难题，以生态思维转变经济社会发展方式，以生态成果考量可持续发展质量。这是生态文明前所未有的重要时刻，也是生态文明前所未有的大发展时期。

建设美丽中国，顺应人民群众追求美好生活的期待，也是中华民族永续发展的客观要求；建设美丽中国，描绘了社会主义生态文明新时代的美好蓝图。

（二）生态制度，生态环境的制度保障

生态制度是美好家园建设与保护的行为准则，是生态文明建设的重要内容，是生态文明水平提高的重要标志。必须建立系统完整的制度体系，用制度保护生态环境、推进生态文明建设。

2013年5月24日，中央政治局就大力推进生态文明建设进行第六次集体学习。习近平总书记指出，推进生态文明建设，必须全面贯彻落实党的十八大精神，以邓小平理论、"三个代表"重要思想、科学发展观为指导，树立尊重自然、顺应自然、保护自然的生态文明理念，坚持节约资源和保护环境的基本国策，坚持节约优先、保护优先、自然恢复为主的方针，着力树立生态观念、完善生态制度、维护生态安全、优化生态环境，形成节约资源和保护环境的空间格局、产业结构、生产方式、生活方式。习近平总书记强调，要正确处理好经济发展同生态环境保护的关系，牢固树立保护生态环境就是保护生产力、改善生态环境就是发展生产力的理念，更加自觉地推动绿色发展、循环发展、低碳发展，决不以牺牲环境为代价去换取一时的经济增长。习近平总书记指出，国土是生态文明建设的空间载体。要按照人口资源环境相均衡、经济社会生态效益相统一的原则，整体谋划国土空间开发，科学布局生产空间、生活空间、

生态空间，给自然留下更多修复空间。要坚定不移加快实施主体功能区战略，严格按照优化开发、重点开发、限制开发、禁止开发的主体功能定位，划定并严守生态红线，构建科学合理的城镇化推进格局、农业发展格局、生态安全格局，保障国家和区域生态安全，提高生态服务功能。要牢固树立生态红线的观念。在生态环境保护问题上，就是不能越雷池一步，否则就应该受到惩罚。习近平总书记强调，节约资源是保护生态环境的根本之策。要大力节约集约利用资源，推动资源利用方式根本转变，加强全过程节约管理，大幅降低能源、水、土地消耗强度，大力发展循环经济，促进生产、流通、消费过程的减量化、再利用、资源化。习近平总书记强调，要实施重大生态修复工程，增强生态产品生产能力。良好生态环境是人和社会持续发展的根本基础。人民群众对环境问题高度关注。环境保护和治理要以解决损害群众健康突出环境问题为重点，坚持预防为主、综合治理，强化水、大气、土壤等污染防治，着力推进重点流域和区域水污染防治，着力推进重点行业和重点区域大气污染治理。习近平总书记指出，只有实行最严格的制度、最严密的法治，才能为生态文明建设提供可靠保障。最重要的是要完善经济社会发展考核评价体系，把资源消耗、环境损害、生态效益等体现生态文明建设状况的指标纳入经济社会发展评价体系，使之成为推进生态文明建设的重要导向和约束。要建立责任追究制度，对那些不顾生态环境盲目决策、造成严重后果的人，必须追究其责任，而且应该终身追究。要加强生态文明宣传教育，增强全民节约意识、环保意识、生态意识，营造爱护生态环境的良好风气。

党的十八大提出生态文明制度建设的主要任务，大致分为3类：其一是建立科学的决策和责任制度，包括综合评价、目标体系、考核办法、奖惩机制、空间规划、责任追究等；其二是建立有效的执行和管理制度，包括管理制度、有偿使用、赔偿补偿、市场交易、执法监管等；其三是建立内化的道德和自律制度，包括宣传教育、生态意识、合理消费、良好风气等。这三类任务互相支撑、协调推进，共同成为生态文明建设水平的重要标志。

自党的十八大报告首次单篇论述生态文明，首次把美丽中国作为生态建设的宏伟目标，把生态建设摆在总体布局的高度来论述，确定包括生态文明建设五位一体的战略布局以来，中央和地方都在积极进行生态文明建设实践，在生态文明制度建设上产生了积极成果，积累了许多经验。

在国家层面，生态文明制度建设主要反映在国家发展的重大部署中。国家"十二五"发展规划把转变经济发展方式作为主线，把加快建设资源节约型和环境友好型社会作为转变经济发展方式的重要着力点，系统地做出了转变经济发展方式一系列政策安排。党的十八大从决策、管理和保障3方面，做出了加强生态文明制度建设的具体部署。

在各部门和领域层面，推出了大量生态文明建设的试点工程和创建活动，其中包含很多生态文明制度建设的内容。国家发改委、财政部和林业局主推的"生态文明建设试点工程"，环保部门主推的"生态文明建设试点创建"，范围广、影响大。

在地方层面，生态文明制度建设呈现因地制宜、百花齐放的局面。如贵阳出台了全国首部生态文明建设地方性法规《贵阳市促进生态文明建设条例》以及《贵阳市关于建立生态补偿机制的意见（试行）》。浙江省加强对推进生态文明建设工作的领导，明确目标指标，出台《"811"生态文明建设推进行动方案》等，进行科学规划。山东省通过签订生态省建设市长目标责任考核书等措施，加大责任追究力度。

近年来，我国围绕生态环境保护的立法、制度建设、生态补偿、国土规划等做了许多工作，进行了许多试点。但是如何将实践证明成功的做法制度化，将分散的做法系统整合，将尚未涉及的领域进行制度创新，这正是十八届三中全会提出在生态文明制度体系建设中要全面深化解决的问题。

路漫漫其修远兮，吾将上下而求索。

制度建设代表着生态文明的软实力，在建设生态文明过程中，我们必将坚定探索的脚步，笃定前进的方向，在发展中成长，在成长中进步，在进步中达到完美，为美丽中国的建设打造更加坚实的后盾！

（三）和谐家园，天人合一的民族追求

和谐家园，是美丽中国的基石，它代表了人民大众对美好生活的期盼。

2014年5月4日青年节，习近平总书记考察北京大学，在师生座谈会上发

表重要讲话，着重谈了社会主义核心价值观。

习近平总书记指出，中华文明绵延数千年，有其独特的价值体系。中华优秀传统文化已经成为中华民族的基因，植根在中国人内心，潜移默化影响着中国人的思想方式和行为方式。今天，我们提倡和弘扬社会主义核心价值观，必须从中汲取丰富营养，否则就不会有生命力和影响力。

习近平总书记指出，像这样的思想和理念，不论过去还是现在，都有其鲜明的民族特色，都有其永不褪色的时代价值。这些思想和理念，既随着时间推移和时代变迁而不断与时俱进，又有其自身的连续性和稳定性。我们生而为中国人，最根本的是我们有中国人的独特精神世界，有百姓日用而不觉的价值观。我们提倡的社会主义核心价值观，就充分体现了对中华优秀传统文化的传承和升华。

人与自然和谐共处的理论源泉可以最早追溯到"天人合一"，这是中国古代先辈对人与自然关系的基本认识，是中国传统价值观念的重要组成部分。天人合一思想是中华民族五千年来传统文化理念的优秀思想精髓，指出了人与自然的辩证统一关系。

和谐是指对自然和人类社会变化、发展规律的认识，是人们所追求的美好事物和处事的价值观、方法论。

和谐社会是包含人与人、人与社会和人与自然三个方面和谐的社会，其中人与自然的和谐具有十分重要的意义。自然界是人类生存与发展的基础，生态环境是经济社会发展的基础。人与自然和谐共处的理念是：肯定人是自然界的相对主体，人类的社会经济必须继续向前发展。同时，要清醒认识自然界的客观规律和自然资源的有限性，努力做到在与自然和谐共处中，实现自身的可持续发展。这就是人类社会新文明——生态文明。

构建和谐社会离不开统筹人与自然和谐发展，统筹人与自然和谐发展的基础和纽带是生态建设。加强生态建设是构建社会主义和谐社会极为重要的条件。

1	2
3	4

1. 2013贵阳生态文明
国际论坛
2. 高端对话：生态
文明与生活方式
3. 关注气候中国峰会
4. 中华环保世纪行启动
仪式

广西左江山水画廊

第三节 绘美好愿景，圆绿水青山之梦

（一）产业转型，关乎未来的绿色增长

工业革命推升了人类社会物质文明的进程，但伴随着人类从传统社会走向工业社会的还有生态危机的出现，向自然的无序索取已经让人类遭到了自然的惩罚。生态系统全面退化、水土流失急剧，大量国土"沦丧"、濒危物种增加，生物多样性下降、天然湿地大量消失……大自然一次又一次为人类敲响的生态警钟，唤醒了沉睡已久的生态意识，传统的工业文明已经不能满足人类日益增长的生态需求，另一种以生态命名的文明成为中国的破局选择。

发展经济和保护生态之间的博弈并没有随着时间的推移、时代的进步而终止。这是中国的困境，几乎也是所有发展中国家共有的尴尬。发展和保护两者之间的平衡，不仅是经济问题、技术问题，更是社会问题、政治问题，是对人类智慧和伦理的双重挑战。

转型，首先是转变发展方式，推动技术创新，逐渐淘汰高投入、高消耗、高污染的产能，实现资源节约、环境友好的发展；关键是优化法治环境，加强执法监督和社会监督，构筑生态文明的法治基础；重点是协调利益关系，科学改变考核标准，不断推进制度变革和机制创新；核心在唤起全社会参与，让生态文明理念深入人心，依靠政府、企业、个人、社会一起发力，美丽中国才可能由愿景化为现实。

绿色增长，即不以高能耗、高物耗、高污染为代价，要通过要素价格、差别税赋以及其他的一些政策措施来激励所有的企业发展低碳经济、发展绿色经济，实现可持续发展、循环经济为特征的一种现代产业增长模式。绿色增长的前提是要实现产业转型升级，从低附加值转向高附加值，从高能耗、高污染转向低能耗、低污染，从粗放型转向集约型。

2011年9月，胡锦涛同志在首届亚太经合组织林业部长级会议上提出，森林在推动绿色增长中具有重要功能。森林是陆地生态系统的主体和维护生态安全的保障，对人类生存发展具有不可替代的作用。森林是重要而独特的战略资源，具有可再生性、多样性、多功能性，承载着潜力巨大的生态产业、可循环

的林产工业、内容丰富的生物产业。森林是陆地上最大的碳储库,减少森林损毁、增加森林资源是应对气候变化的有效途径。

作为一种新型的经济增长方式,绿色增长对经济转型具有直接带动和间接影响作用。绿色增长特别注重人与自然的和谐相处,在发展绿色经济的过程中,能够把节约文化、环境道德纳入社会运行的公序良俗,把资源承载能力、生态环境容量作为经济增长的重要考量要素和依托条件,从制度上积极引导公众自觉选择节约环保、低碳排放的消费模式,从技术上推动企业自觉采用节能高效的生产方式,实现整个经济体系的资源节约型、环境友好型增长。

党的十八大报告提出,"牢牢把握发展实体经济这一坚实基础,实行更加有利于实体经济发展的政策措施,强化需求导向,推动战略性新兴产业、先进制造业健康发展,加快传统产业转型升级。"

2013年4月8日,国家主席习近平在出席博鳌论坛2013年年会的中外企业家代表座谈会上指出:要建设美丽中国,中国将把推动发展的着力点转到提高质量和效益上来。特别是我们现在提出的是五位一体的建设,十八大的报告专门把生态文明建设加进去。我们要建设美丽中国,按照这个要求就要加大生态文明建设的力度,下大气力推进绿色发展、循环发展、低碳发展,形成资源节约、保护环境这样的空间格局。产业结构、生产方式、生活方式,从源头上扭转生态环境恶化的趋势,我们要找一个平衡点,经济的发展包括产业的发展和绿色、环保、可持续的平衡点,这要落实到产业政策。

林业作为重要的公益事业和基础产业,具有生态、经济、碳汇、文化等多种功能,能够产生巨大的生态、经济和社会等多种效益,对人类生存与发展具有不可替代的重要作用,在促进绿色增长方面肩负重大使命。

习近平总书记反复强调,保护生态环境就是保护生产力,改善生态环境就是发展生产力。这是我们党首次对生态环境与生产力之间关系做出科学论述,有利于指导全党全社会正确处理经济发展与生态环境保护的关系,牢固树立正确的政绩观和科学发展观,坚决摒弃以牺牲生态环境为代价换取一时经济增长的发展方式,更加有效地促进绿色发展、循环发展、低碳发展。

当前我国产业转型的基本目标是要实现"三个转变"。

第一，促进经济增长由主要依靠投资和出口拉动，向依靠消费、投资和出口三者协同拉动转变。

第二，促进经济增长由主要依靠第二产业带动向依靠第一、第二、第三产业协同带动转变，推动产业结构优化升级，加快发展现代农业，大力发展现代服务业和发展先进制造业，实现"三产统一"。

第三，促进经济增长由主要依靠增加物质资源消耗，向主要依靠科技进步、劳动者素质提高、管理创新转变。

"三个转变"是把生态文明建设融入经济建设各方面和全过程，转变经济发展方式的前提条件。牢固树立生态文明观念对实现"三个转变"具有重大意义。

人间仙境（高华康 摄）

（二）美丽中国，永续发展的根本追求

"努力建设美丽中国，实现中华民族永续发展。"这是十八大报告字字铿锵的郑重宣示。

建设美丽中国的宏伟目标，展现了时代发展的新愿景。习近平总书记指出："走向生态文明新时代，建设美丽中国，是实现中华民族伟大复兴的中国梦的重要内容。"从人类社会的演进历程来看，当前正处在向生态文明过渡的关键时期。生态文明建设是一场"绿色革命"，是对传统工业文明的超越，它的核心是尊重自然、顺应自然和保护自然。生态文明新时代，就是实现人与自然协调发展、和谐共生的时代。美丽中国是生态文明建设的目标指向，描绘了生态文明建设的宏伟蓝图，关系人民福祉，关乎民族未来。

第八次全国森林资源清查数据显示，我国森林面积2.08万公顷，森林覆盖率达到21.63%，森林蓄积151.37亿立方米，人工林面积6933万公顷，蓄积24.83亿立方米，人工林面积持续为世界首位。和第七次清查相比，我国森林总量持续增长，森林面积增加1223万公顷，森林覆盖率提高1.27个百分点，森林蓄积增加14.16亿立方米。李克强总理称赞："森林资源连续30年持续增长是一个了不起的成就。"

对应两个百年的奋斗目标，中国政府提出，2020年森林覆盖率达到23%，2050年森林覆盖率超过26%；应对气候变化，中国政府提出了绿色增长的概念，同时也做出了森林面积和森林蓄积的双增承诺，展示出一个负责任大国的生态使命。第八次清查结果显示，我国已经提前兑现森林蓄积增加的承诺，森林面积增加的目标任务已经完成60%。

一组组数据增长的背后是生态文明理念从顶层设计到植根公民心里的成长。2010年，通过了新中国成立以来第一个林地保护利用规划纲要《全国林地保护利用规划纲要（2010～2020年）》；2006年，推行了省级人民政府防沙治沙责任制度，先后启动了39个全国防沙治沙示范区，实施了石漠化综合治理工程；湿地保护率由30.49%提高到43.51%。"十一五"期间，全国沙化土地年均减少1717平方千米，实现了沙化土地面积持续净减少。

  我国坚持实施以生态建设为主的林业发展战略，积极推进传统林业向现代林业转变，努力构建生态体系、林业产业体系和生态文化体系，林业各项工作全面推进，林业建设取得令人可喜的成绩，使山更绿，民更富，自然更和谐。一组组闪亮数字背后，折射出林业的显著变化，让我们明显感觉到兴林富民已经成为这一时代的强音。

  从全社会来看，已经初步确立了生态文明示范建设的评价体系，目前，国内已经有很多个省、市编制了生态文明建设规划，或专门进行了生态文明指标体系研究。

  贵州，出台了《贵州省生态文明建设促进条例》，从 2014 年 7 月 1 日起正式施行，这是全国首部省级层面的生态文明建设地方性法规。《条例》将生态文明建设纳入国民经济和社会发展规划年度计划，生态文明建设效果也将成为政府部门的考核目标，对限制开发区域和生态脆弱的国家扶贫开发重点县，将取消 GDP 考核。

  厦门，作为全国推出的首批生态文明城市，城市生态文明建设体系有很强的借鉴意义，不仅把生态文明城市的内涵细化为实际可测量的评价要素，更重要的是考虑了很多与人相关的因素，比如居民平均寿命、公民对城市生态环境建设满意度等，充分体现了生态文明的出发点和落脚点在于人的基本理念。

  鄂尔多斯创出了一条西部地区经济发展之路，植被覆盖率由 2000 年的 30% 提高到 75% 以上，泥沙量流失年均减少 1000 万吨以上，荒漠化土地实现全面逆转，生态建设和保护成就被专家和媒体誉为"鄂尔多斯生态现象"，成为众多城市和地区发展学习的典型和参照的样板。

  最为严格的环境污染治理方案、前所未有的生态建设中国行动，换来的是令世界瞩目的生态环境综合改善。2007 年中国制定并实施了应对气候变化国家方案，成为发展中国家中第一个制定应对气候变化的国家，十一五期间，中国减少二氧化碳排放 14.6 亿吨，赢得国际社会广泛赞誉；2002 年七大水系重点监测断面中，满足一类水质要求仅为 29.1%，近岸海域一、二类海水比例为 49.7%，2011 年分别提高到 61% 和 62.8%，水土流失治理面积达到 47.16 万平方千米；全国国内单位生产总值能耗 10 年下降了 12.9%。生态文明建设从森林到田野、从江河到荒漠，根植到中华大地的每一个细胞。

建设美丽中国，我们在行动。

建设美丽中国，中华民族永续发展的根本追求。

建设美丽中国，描绘了社会主义生态文明新时代的美好蓝图！

守望绿水青山美好家园（王金城 摄）

（三）绿水青山，华夏民族的美好家园

绿水青山就是金山银山，可以源源不断地带来财富。绿水青山是长远发展的最大本钱。绿水青山的生态优势，可以变成经济优势、发展优势，这是一种更高的思想境界。习近平总书记的重要讲话，深刻阐明了经济发展与环境保护的辩证关系，科学破解了经济发展和环境保护的"两难"悖论，充分体现了我们党对自然规律、经济社会发展规律认识的深化，是对我们党发展理念的又一

次重要提升。

如今，"宁要绿水青山，不要金山银山，绿水青山就是金山银山"这一生态理念深入人心，美丽中国的内涵不仅仅体现在自然山川的秀丽与壮美、江河湖海的深沉与包容，也包括人文风光、民俗风情，还有那人间的温暖、美德的滋养，以及人与天地万物的和谐共鸣与共生。绿水环抱，满目青山。活泼的阳光，鲜美的果子，鲜艳的花儿，幽幽的清香，伴着纯真的笑容，希望的味道……

这就是我们华夏民族绿水青山的美好家园，它是生态文明的光芒照耀在我们的心田里，在中华大地上勤劳智慧的中国人，正在实现天蓝、地绿、水净的美好家园梦。

漫漫生态路，壮哉中国梦。

在以习近平同志为总书记的党中央坚强领导下，伟大的中华民族一定能完成建设生态文明、建设美丽中国的战略任务，给子孙留下天蓝、地绿、水净的美好家园，赢得永续发展的美好未来。